L'autrice

Holly Smale est diplômée en littérature anglaise. Grande voyageuse, elle a tour à tour été enseignante au Japon, bénévole au Népal et fait de nombreux petits boulots en Jamaïque, Australie, Indonésie et Inde. Elle écrit aujourd'hui pour la presse (*Grazia*, *FHM*, *Itchy*, *The London Paper...*) et anime assidûment un blog. Son expérience du mannequinat, à l'adolescence, lui a inspiré *Geek Girl*, son premier roman, best-seller international. Elle vit actuellement à Londres. *Les Valentines*, sa nouvelle série de romans indépendants, raconte les aventures de trois sœurs au sein d'une famille célèbre et déjantée.

De la même autrice :

Geek Girl (6 tomes)
Les Valentines : Happy Girl
Les Valentines : Trop parfaite

Par l'autrice de *Geek Girl*

HOLLY SMALE

Trop PARFAITE

Traduit de l'anglais (Grande-Bretagne)
par Christophe Rosson

POCKET JEUNESSE
PKJ·

Première publication en langue anglaise
en Grande-Bretagne
par HarperCollins Children's Books en 2019 sous le titre :
The Valentines:Far from Perfect

Loi n° 49-956 du 16 juillet 1949 sur les publications
destinées à la jeunesse : janvier 2021

Texte © Holly Smale, 2019 tous droits réservés.

© 2021, éditions Pocket Jeunesse,
département d'Univers Poche,
pour la traduction française,
avec l'autorisation de HarperCollins Publishers Ltd

ISBN : 978-2-266-29817-9
Dépôt légal : janvier 2021

À Judith, qui m'accompagnera toujours.

FAITH... CE QU'IL TE PLAÎT ?

La sublime et tout en jambes Faith Valentine arborait une nouvelle coupe, hier soir. Ci-contre, elle quitte The Ivy seule – adieu les boucles, bonjour cheveux raides. Changement en vue aussi dans sa relation avec la pop star Noah Anthony ? On s'interroge !

Entrée fracassante dans le TOP 50 du fitness : FAITH VALENTINE (16 ans), que ses amis appellent Effie. Grande, mince, teint caramel et regard angélique, Faith est 100 % canon. Influenceuse, starlette qui monte et, OUI, héritière de la FAMEUSE famille, Faith a tout pour elle, et plus encore !

« Je suis une lève-tôt, nous a confié Faith dans le fabuleux salon ensoleillé du manoir familial. Je me réveille au son du chant des oiseaux. Mon premier réflexe est alors de boire de l'eau –pour booster mon système digestif. Puis je pratique la danse. (Deux fossettes se creusent dans ses adorables joues.) Je danse depuis que je suis toute petite. Une vraie hygiène de vie. »

Et du côté du couple sexy de l'année ? Tout n'est pas si rose. On raconte qu'ils ont du mal à trouver du temps l'un pour l'autre. Entre la tournée de Noah et la carrière au cinéma de Faith, difficile de se connecter. La jeune actrice en souffre clairement plus que le chanteur. Les experts sont formels : « Leur langage corporel montre que Faith se cramponne des deux mains à leur relation. » Cela suffira-t-il ?

1

Rnffflll.

Première chose que j'entends. Un bon gros ronflement. Et vu que je dors seule, ça vient forcément de moi. Dehors, les pigeons roucoulent et les moineaux gazouillent, mais je n'ai pas eu besoin d'eux pour me réveiller. Merci les mitraillettes qui me servent de narines.

Trop sexy, Faith Valentine.

Les yeux encore fermés, je décolle ma langue pâteuse de mon palais. Ça fait « clac ». Puis je m'assois. Je bâille des relents de poubelle. Je bois le verre posé sur ma table de nuit et recrache illico un mélange de dentifrice dilué et de paprika.

Collé sous le fond du verre, ce mot :

Bien BOOSTÉS, tes intestins ?
LOL. Max xxx

Je grimace. Mon frère s'ennuie, j'imagine. J'écarte les rideaux. Inondation de soleil ; tout ensommeillée encore, je bascule mes jambes hors du lit, me gratte le genou et allume la radio. Puis direction le tapis.

Un miroir de six mètres de long recouvre un mur de ma chambre. Mis en relief par la lumière du jour, mes pores ressemblent à des grottes ; limite on pourrait y descendre en rappel. Je regarde ailleurs tandis que j'agrippe la barre. Puis je fléchis les jambes à fond.

Après, je lève les talons, je bâille par le nez et j'écarte les bras : grand plié. Un pied à plat, je lève une jambe et l'étire en arrière : arabesque. Un relevé pour m'étirer le pied.

J'ai intérêt à me reprendre, question gommage, ou Grand-mère va me tuer.

Battement fondu, battement frappé ; quatrième devant.

Ou alors je me farcis les pores de plâtre ?

Gliss…

— *Sans transition*, annonce une animatrice de radio surexcitée, *le dernier single de Noah Anthony ! Une pépite qui va faire palpiter les cœurs…*

— *Les cœurs de midinette, sûrement*, ironise un mec.

— *Le mien, déjà ! Allez c'est parti pour le Nouméro Ouno des charts britanniques !*

Je me fige en plein mouvement. Traduction, SVP ?

Un petit saut et je m'approche de la radio au moment où les premiers accords de guitare retentissent. Même si la culpabilité me noue le ventre, je baisse le son avant que mon chéri attaque les « mmmm » et le « dou-dou-dou ».

Désolée, mon cœur. Je t'aime.

Puis, les tendons encore raides à cause d'hier, retour sur le tapis. Inspiration. Paupières closes. Étirement. Flexion. Toucher d'orteils. Après ça, planche. Je tiens la position un moment puis je pousse sur les bras et les pieds, mon corps forme un V. La tête à l'envers, je plie les genoux et…

— Non mais tu me fais halluciner, Effie, en vrai.

J'ouvre les yeux. Le visage de ma grande sœur est à trente centimètres du mien. Elle a dû s'allonger sous moi en douce.

— Sérieux, tu devrais consulter, insiste Mercy. Qu'on sache si c'est contagieux, un truc psycho ou génétique. Ou bien la conséquence d'une inégalité culturelle généralisée. Franchement, ça m'intéresse.

Mer' est si près que je distingue les fibres de son mascara.

Une traînée d'eye-liner noir au coin des yeux fuit vers ses tempes ; le fond de teint se fait la malle autour de son nez ; des plaques de rouge (bordeaux ?) résistent sur ses lèvres. Sa perruque rose courte est un peu emmêlée et de travers. La frange, surtout.

Ma sœur en mode rebelle vannée. Mon cœur se serre.

— Bonjour, je lui dis en déposant un bisou sur son front légèrement gras. C'était comment, cette fête ? Sur quel malheureux consentant t'es-tu jetée, cette fois ?

Je me redresse et enjambe d'un grand pas la silhouette de mon aînée.

— Non mais tu ne vas pas faire ta gym sur moi non plus ? s'indigne-t-elle.

Elle rampe lamentablement jusqu'au lit. Se hisse, un muscle à la fois. Façon limace.

— Ça, par contre, non, ajoute-t-elle en éteignant ma radio. Les roucoulades à deux balles de ton chéri, ça va pas le faire.

— *Mercy*, je lui renvoie, les sourcils froncés.

— Quoi ? Attends, il écrit comme un pied, tu le sais aussi bien que moi. (Un regard noir en direction de la fenêtre.) Ça aussi, il faudrait l'éteindre.

— Le soleil ?

Petite pirouette prudente. Mer' me regarde évoluer avec dégoût.

— Le soleil, oui. Il me tue, le soleil. Et toi aussi, tu me tues, Faith Valentine. Avec ton ultra-souplesse. Il n'est même pas 6 heures du mat'. Faut te faire soigner, ma vieille.

Les insultes habituelles proférées, Mer' se cale un bras sur la figure, ferme ses paupières noires et reprend le ronflement où je l'avais laissé. Une vraie perceuse industrielle.

J'observe ma grande sœur : rageuse jusque dans le sommeil.

Parfois, j'ai l'impression que mon lit est à tout le monde. Genre un appart' pas cher à Majorque. La nuit, il m'appartient ; mes frère et sœurs ont le créneau post-nouba 5 heures – 14 heures. Je ne suis même pas sûre que Mercy sache encore où se trouve le sien. Si je fermais ma porte à clé, je parie que je la retrouverais endormie dans le couloir, roulée en boule sur une serviette humide, comme un chiot.

D'un geste délicat – enfin… presque – je remonte ma couette paprika-dentifrice sur elle. Je remplis mon verre d'une eau non Maxéifiée, je le pose sur la table de nuit et j'ôte mon short et mon caraco de soie blanche. Puis j'enfile un legging vert fluo en sautillant. Un tee-shirt orange. Je me fais un chignon en veillant à ne surtout pas abîmer mes boucles. Une casquette, des lunettes de soleil. Je lace mes baskets, clipse mon bracelet fitness, et me voilà enfin partie.

Petite pause dans le couloir. Hope glapit, c'est trop mignon : pas encore mitraillette ou perceuse, ma sœurette. Max n'est pas encore rentré. Au bout du couloir, la porte de Maman et celle d'à côté sont fermées. Noah était en concert à Wembley hier soir ; Papa est dans l'avion, il revient de Californie. Tous deux doivent donc dormir aussi.

Conclusion (j'inspire longuement, m'étire), tous les êtres de ma vie dorment à poings fermés, et tout ce qui est dans le soleil m'appartient. Aujourd'hui est une journée importante. Au réveil du reste du monde, je devrai être pimpante, étincelante, éblouissante de perfection.

Je devrai être Faith Valentine.

— Il me reste deux heures. Je sors courir.

Quelle est la voiture préférée des chats ?

Le cat-cat.

Quand je cours, je ne suis personne.

Ni une Valentine, ni une chérie, ni une grande ou petite sœur ; ni une fille de ou petite-fille de ; ni la numéro 11 dans le Top 50 fitness, ni une starlette qui monte, ni la fille à suivre, ni une *future adulte* (beurk).

Ni une source d'inspiration pour chanson d'amour.

Le portail électronique au bout de l'allée franchi – la sueur me gratifie déjà d'une petite moustache salée –, je m'oublie dans les mouvements de mes poumons.

Richmond Park à l'aube, c'est le bonheur. La rosée, les tons rose doré du sentier, le lac immense, les canards qui s'y ébattent déjà et les cygnes qui y évoluent avec grâce et sans but.

J'accélère, les jambes me brûlent mais c'est bon. J'ai la poitrine en feu aussi et mon tee-shirt est trempé. Petite grimace : il faudra que je me rase les aisselles en rentrant, avant que les paparazzis remarquent quoi que ce soit. Virage à droite, nouvelle accélération. Mes bras sont deux pistons, je cours la tête penchée et…

— Faith Valentine ?

Pas le moment pas le moment pas le…

— Faith ? Faith Valentine ? C'est bien toi ?

Voilà qu'un garçon court avec moi. Ses spots d'acné scintillent au soleil, il me dépasse et glisse un coup d'œil sous la visière de ma casquette. Son haleine dans ma face.

Chips de crevette. À 6 heures du mat' ?

— Non. (Je renfonce ma casquette et j'accélère.) Désolée, vous devez faire erreur.

— Sûrement pas, insiste l'inconnu avec un sourire en accélérant aussi. Tu es bien Effie Valentine. J'ai lu quelque part que tu cours tous les matins et que tu habites le quartier, du coup ça fait une semaine que je me lève aux aurores. Je prends le train à Piccadilly, puis correspondance jusqu'à Richmond. Et te voilà !

Il court à côté de moi, tranquille, comme deux potes qui font leur jogging en discutant soucis ferroviaires.

Je passe en revue les options. Je dois pouvoir le semer, même si je suis plutôt coureuse de fond que sprinteuse. Ou alors je m'arrête, mais il risque de croire que je veux papoter. Ou bien je m'enfonce dans le bois, mais ça, niveau idée stupide, ça décroche le pompon.

Finalement, je décide de couper par la pelouse pour rejoindre le sentier principal. Pas envie qu'il se vexe.

— J'hallucine, gazouille encore le mec.

Treize ans, je dirais. Il n'a pas mieux à faire ? Genre jouer à la console, ou rater la cuvette en pissant ?

— Trop fort ! J'avais grave raison, tu es méga sexy. Enfin, au naturel, quoi. Zéro maquillage. Perso, c'est ce que je préfère.

Ce qu'il *préfère* ? Il classe déjà les catégories de sexytude, l'ado prépubère ?

— Merci, je lui souris. Ça me touche.

Il se cale sur mon rythme.

— Tu cours souvent ici ? Sur ce chemin, je veux dire. Et aussi, qu'est-ce que tu penses des parcs, en général ?

Il teste une nouvelle méthode de drague ou quoi ?

— Euh... Non, c'est la première fois que je passe par ici. (*La dernière, aussi.*) Et les parcs, je trouve ça... joli.

— Joli ! claironne le mec. Et c'est quoi, ta... ton arbre préféré ?

— Le chêne.

J'ai l'habitude des questions en rafale, et tant mieux, vu que je ne suis pas encore bien réveillée.

— Ton plat préféré ?

La tourte bœuf-patates-oignons-rutabaga.

— Les sushis.

— Ta couleur préférée ?

Le gris.

— Le vert.

— Cool !

On tient toujours un bon rythme, et la sueur lui goutte au menton.

— Tu me signes un autographe, dis ?

Il me colle un feutre sous le nez.

— Sur mon bras, steuplé !

Je m'arrête, une main sur la taille. Je m'essuie le front et attrape son feutre.

Faith V…

— Bisous, m'indique-t-il. Marque « Bisous ».

Bisous, Faith Valentine.

Dans la foulée, il me plaque un bras autour des épaules, me serre contre son grand corps maigre qui pue le déo, colle ses lèvres humides sur ma joue et braque son portable devant nos visages dégoulinants. Mon cœur se serre : une loupiote rouge clignote en haut de l'appareil : *4:36, 4:37, 4:38…*

Il ne flirtait pas. Il m'*interviewait.*

— Et hop… fin de la T-Zone ! lance le mec à son portable. (Il fait une espèce de pauvre T avec sa main libre.) Merci pour l'exclu, Eff. Je t'adore. Enfin, pas autant que Lily Aldridge de Victoria Secret : elle, je l'épouse direct.

Sur ce, il disparaît dans le bois.

Je vais peut-être devoir modifier ma routine fitness.

Me lever plus tôt ? Commencer à 4 heures du mat' ? Enchaîner les tours du lac de notre jardin ? Si seulement le tapis roulant de la cave ne me donnait pas l'impression d'être un hamster géant…

Bref, je pousse la porte d'entrée, m'essuie le front, jette un coup d'œil à l'horloge puis récupère mon portable. Il clignote déjà : notifications et alertes Google.

Je m'étire et envoie son SMS matinal du jour à Noah.

Salut, bogosse ! Ton concert, bien ? À ce que j'ai vu sur YouTube hier soir, ça déchirait ! Trop fière de toi xxxx

Puis je me détends les épaules et hop, un mail à mon agent :

Salut, Persephone ! Merci pour les news ! C'est la version finale du script ou pas encore ? x

SMS à Maman :

Je te prépare le petit déj' ? Un bon petit porridge ? Tu me dis ! xx

À Papa :

Tu arrives vers quelle heure ? Je te laisse une clé ? Hâte de te voir xxx

À Max :

T'es où ? Ça va ? xx

J'ai comme l'impression que la matinée m'échappe déjà. Du coup, j'enchaîne avec trente pompes. Puis trente sauts bras et jambes écartés. Trente levers sur une chaise. Vingt-sept squats avec des poids au-dessus de ma tête (je ferai les trois derniers quand je me serai brossé les dents).

Et je reprends mon téléphone pour découvrir les messages de Genevieve, l'assistante de Grand-mère. Le premier : photo d'un bol de smoothie vert brillant avec petite cuillère en or posé sur un comptoir en marbre. Des framboises et des copeaux de noix de coco forment un cœur dessus. Un filtre doré apporte une touche nostalgique au cliché.

Au goût, je parie que ça évoque plutôt la pelouse fraîchement tondue.

Le front plissé, je copie-colle :

Pour bien commencer la journée, un grand cœur, et un ventre bien rempli ! Bonjour, mes amours :) ♥ ♥ xxx

Et… ENVOYER.

Sur ce, j'engloutis une part de la pizza froide et caoutchouteuse que Mercy a laissé traîner sur la table. Je rote. Puis je monte à l'étage. J'en profite pour noter ma blagounette féline sur un Post-it. Cat-cat/4 × 4. Tordant, non ? Moi je trouve. Comme si les chats savaient conduire ! LOL.

Enfin, je me glisse dans la chambre vide d'à côté, plaque un baiser sur le Post-it et le colle au mur. Voilà. Coup d'œil à ma porte, j'expire lentement : 8 h 23.

J'ai juste un dernier truc à faire.

3

Ma petite sœur dort comme un bébé.

Contrairement à Mercy, qui considère la nuit comme un ennemi mortel. Contrairement à Max, qui se déchaîne dès qu'il fait noir. Hope, elle, se contente de fermer les yeux, comme si de rien n'était.

J'entre sans bruit dans sa chambre. Elle comate encore, roulée en boule. Le soleil se déverse entre ses rideaux de velours rouge. C'est la panique dans ses bouclettes noires. Elle serre contre son cœur son caméscope flambant neuf. Elle bat du pied gauche et murmure :

— Coupez ! Coupez ! Coupez !

L'amour déferle en moi, tout en évidence et lumière. Sans la moindre zone d'ombre.

Je lui caresse délicatement la tête. Son réveil sonne en vain.

— Hope. Debout, bébé.

J'ai promis de ne plus l'appeler comme ça, vu qu'elle va sur ses seize ans, mais…

— C'est ton grand jour.

Hope remue, chuchote « Action ! » puis ouvre les yeux et m'adresse un large sourire. Contrairement à Max, Mercy et moi, notre cadette n'a même pas besoin d'une fraction de seconde pour être à 100 % réveillée. Elle est déjà à bloc, comme un film qui commence.

— En avant pour le rêve ! annonce Hope en s'étirant les orteils, en mode étoile de mer. Ils vont voir de quel bas je m'échauffe.

— De quel *bois* tu te *chauffes*, je m'esclaffe.

— Pareil.

Hope se lève d'un bond et se met à tournoyer sur elle-même, les bras au-dessus de la tête. Aujourd'hui, c'est la journée d'accueil à sa nouvelle école, en prévision de la rentrée de septembre. Elle s'y prépare depuis son retour de Californie, il y a huit jours.

Et quand je dis qu'elle s'y « prépare », c'est qu'elle « répète ses discours-fleuves de Représentante des élèves/Miss Popularité/Organisatrice de fiestas en chef » (c'est selon).

Mon téléphone tinte.

'Jour, beauté. Tu m'as manqué, hier soir. Foule en délire ! On se voit ajd ? Bisous N xxxx

— À l'eau claire fontaine, chantonne Hope tandis que je tape ma réponse en souriant.

Grave ! Trop hâte ! Dis-moi qd ! xxx

— Faith et Noah se kissent…

Et ma sœurette volette maintenant dans sa chambre en serrant contre son cœur tous les habits hyper colorés que je lui ai achetés l'autre jour.

— On ne pourra pas me louper, soupire-t-elle, extatique. Le Cancer est un signe trop populaire à la base, Eff. On est grave sociables. À mon nombre avis, tout le monde va m'*adorer*.

Sourire aux lèvres, je saisis la trousse posée sur le manteau de la cheminée. Hope a toujours été d'un naturel joyeux, mais depuis son retour de Los Angeles on ne la tient plus. Par contre, quand je l'interroge sur son séjour et sur sa relation avec le fameux garçon qu'elle a rencontré, elle la joue pudique.

— Oh ben, j'ai surtout fait de la voiture, quoi, Eff, répond-elle en souriant.

Toujours au rayon nouveautés, elle a pris l'habitude de claquer les portes et de beugler à tort et à travers. Ça ne lui ressemble carrément pas, mais c'est plutôt chou. Cela dit, je me demande ce qui a pris à Papa de laisser conduire une gamine de quinze ans.

— Tu devrais peut-être emporter un accessoire pour toute la partie non sociale de l'école, non ? je propose en montrant la trousse. (Vide, évidemment… Sacrée souricette.) Il paraît que ça porte chance.

— Pas besoin de chance, réplique ma cadette en haussant les épaules. Nos destinées, on se les fabrique nous-mêmes, Eff. En plus, c'est un *établissement d'éducation*.

Un *temple du savoir*. Je trouverai forcément un crayon qui traîne quelque part.

Et tout à coup, elle s'écrie « Oh ! » et ouvre la fenêtre.

— Salut, Ben ! lance-t-elle, les mains en porte-voix. Benjamin ! Ohé ! On est là ! Tu escalades la gouttière en mode Spidey ou tu préfères qu'on descende t'ouvrir ?

Elle se tourne vers moi, écarquille les yeux.

J'ai un copain, c'est du sérieux, je l'aime beaucoup, et ce n'est pas le garçon à qui Hope s'adresse. Ce n'est pas le genre de détail qui arrête notre Cupidon, hélas.

— Va lui dire bonjour, insiste-t-elle en me poussant vers la porte. Ben arrive d'Édimbourg, Faith. C'est bien le moins que tu puisses faire.

Elle me force à faire trois pas.

— Je ne crois pas que…

— Franchement, me coupe ma sœur en me tapotant les épaules, si tu as *ouno momento* à m'accorder, tu noteras qu'il est craquant, hein ? À tomber, même, non ? Genre… (Elle passe en revue ses références.) Harry Porter dans le dernier film, tu vois ?

Elle trépigne, c'est clair. Ma sœurette m'aime beaucoup – Noah un petit peu moins – mais pas autant qu'elle adore une bonne histoire d'amour. Or Benjamin trucide des pâquerettes et me les laisse sur la table de la cuisine depuis qu'on a six ans. Aux yeux de Hope, on forme un triangle amoureux, Noah, lui et moi.

— Euh…, j'hésite en passant de force sur le palier. Écoute, bébé, j'ai plutôt intérêt à me doucher avant de croiser un être humain. Je pue, je colle de partout, et je crois que j'ai marché dans une crotte de canard, donc...

Hope se penche, me renifle.

— Tu sens la rose, déclare-t-elle en m'orientant vers les marches. La rose, la rosée, les macarons et les chatons. Quoi que tu fasses, Faith Valentine, tu encadres toujours la *perfection*.

4

Pourquoi les cambrioleurs emportent-ils
toujours une valise ?

Pour pouvoir se faire la malle.

— Une petite minute ! j'annonce par le trou de la
serrure.

Se faire la malle. Ha ! Si seulement…

Je me frotte fissa une bougie aromatisée chic sur le
cou, m'essuie la figure sur mon tee-shirt et me compose un air qui signifie : *je ne suis qu'une bonne copine
limite ta sœur sûrement pas une chérie potentielle qui va
te voir sous un nouveau jour te fais pas de films.* Ben a vu
trop de comédies romantiques, c'est clair.

Puis j'ouvre la porte et lance un « Hé, salut » qui
s'abrège en un « Hé, sal… »

Long silence.

— Faith, finit par lâcher Lady Sylvia Valentine en me toisant, la mine horrifiée. J'espère que c'est une... blague ?

Rapide coup d'œil dans l'allée en battant des cils. Zéro trace de Ben. Il a dû repérer ma célébrissime grand-mère et sa non moins célébrissime canne, et se réfugier dans un buisson. Bien vu.

— Une blague ? Quelle blague ?

Grand-mère me désigne du bout de sa canne en reniflant comme un chien de chasse indigné.

— Je t'ai demandé de te *concocter un look roots*, pas de la jouer clocharde avec... (Elle se penche.)... des notes d'orange amère et de lavande.

Mes narines tressautent : au taquet sur les bougies parfumées, la mamie.

— Je croyais que tu avais dit 10 heures, et il n'est que...

— Tu es une *Valentine*, me coupe Grand-mère en levant une main surchargée de diamants. Nous n'ouvrons pas la porte *débraillées*, quelle que soit l'heure. Comment aurais-tu réagi si j'avais été une journaliste ? Ou bien une fan ? Si je tenais un vidéo-log ?

Je baisse la tête pour qu'elle ne voie pas mes narines frémir encore. *Vidéo-log*, sérieux ?

— Pardon, Grand-mère.

— Nous nous devons d'être prêtes en toutes circonstances. Il n'y a pas d'entracte, Faith. Pour nous, le rideau est toujours levé.

J'incline encore plus la tête.

— Pardon, Grand-mère.

— En voiture, je te prie. L'insolence de ton frère et de tes sœurs, je m'y suis faite ; venant de toi, je ne la tolère pas.

Sur ce, elle fait demi-tour, direction la limousine argentée. La déception irradie de ses épaules.

Et je culpabilise à mort. Les deux heures qui viennent de s'écouler ne m'appartenaient pas. J'aurais dû les passer à me laver, me gommer, m'épiler, me raser, m'après-shampouiner, me masquer, m'hydrater, me sculpter les contours. J'aurais dû combler tous mes pores un par un, de sorte que personne ne puisse les voir.

— Pardon, Grand-mère, je répète une troisième fois.

Et plutôt quatre fois qu'une, Grand-mère.

Après quoi je m'exécute.

— … potentiel, lit Grand-mère tandis que je me laisse aller contre le dossier de la banquette et me frotte la figure avec une lingette parfumée au concombre. Avec la beauté incandescente d'une légende moderne du septième art… (Elle lit toujours et me désigne du doigt.)… Faith Valentine, 50 % du couple le plus sexy de l'année, a tout pour mettre le monde du cinéma à ses pieds. Les propositions affluent déjà des quatre coins du monde.

Genevieve me tend une autre lingette, prise dans un sac qui semble contenir un véritable arsenal de hammam. Je m'attends presque à la voir en sortir un jacuzzi, façon Mary Poppins. Je me frotte le cou.

— À ce propos, as-tu diffusé ton premier post sur la toile d'Internet, aujourd'hui ? m'interroge Grand-mère, les sourcils levés. Ambitieux, chic et bien cadré avec la marque familiale, j'espère.

À l'entendre, on croirait qu'il faut envoyer un formulaire avec passeport et enveloppe affranchie à votre adresse aux micro-robots qui font tourner « l'Internet ».

J'adresse un sourire poli à Genevieve puis je me cure l'oreille machinalement.

— Oui, Grand-mère. Plus de cent trente-deux mille *likes* en trente minutes.

— À la bonne heure, approuve-t-elle.

Sur ce, elle tourne la page de mon carnet de coupures de presse – mon Livre de la Honte.

— Cela dit, la presse à scandale se passionne toujours pour tes difficultés de couple avec le jeune Noah Anthony.

Elle me montre une photo volée : moi qui fusille du regard mon chéri, une grosse bulle de mayo sur le menton. Genre bouc blanc.

— J'avais faim, j'explique en rougissant. Tout va bien entre nous, promis.

C'est surtout que quand je mange un hamburger, je ne sais jamais quelle pose prendre pour dire : *nous sommes fous l'un de l'autre mais tu n'as pas voulu de frites alors pas touche aux miennes.*

— Les Valentines ne lavent pas leur linge sale en public, me rappelle d'un ton sévère Lady Sylvia. Nous payons des gens pour cela, ils ont une laverie secrète et sélecte, réservée aux célébrités, située à l'autre bout de la ville. Suis-je claire ?

Je hoche la tête, penaude.

Sur cette photo, Noah a l'air amoureux et attentif, tandis que je ressemble à une grande gueule égoïste et mal lunée. C'est ce que doivent se dire les millions de gens qui l'ont vue.

Peut mieux faire, Eff.

— À ce propos, embraie Grand-mère, j'ai vu les épreuves de *Variety*, ce matin. Tu y es resplendissante, mais tu ne dis pas grand-chose, Faith. Tu veilleras à glisser un commentaire intéressant, à l'occasion. Personne n'a envie d'interviewer une statue, pas même une statue de déesse.

— Mercy et Max monopolisaient la…

— Dans ce cas, tâche de te faire entendre, me coupe-t-elle en tournant la page avec un soupir retentissant. Le *Daily Mail* t'a une fois de plus décrite comme *distante* et *beauté glaciale*. Ma chérie, si tu étais un homme, cela passerait pour *énigmatique*. Mais tu es une femme, alors c'est synonyme de *pimbêche*. Essaie donc de te montrer plus chaleureuse. Mais pas trop non plus, attention.

Genevieve et moi échangeons un regard.

Elle a tout juste la vingtaine, pourtant elle porte une veste en velours, une jupe longue et un chemisier à jabot. Un clone de ma grand-mère.

Elle hoche la tête, les sourcils levés. *Plus de chaleur, Faith.*

— Tout à fait. Pardon.

Notre limousine s'arrête en plein milieu de la rue malgré le concert de klaxons furieux que ça provoque. Je suis prise de nausée.

Si je me vomis dessus, Grand-mère me renverra-t-elle à la maison ? Quelque chose me dit plutôt que Genevieve me tendra la lingette appropriée et désodorisera la voiture.

Mon téléphone tinte.

Oupsoupsoups, oublié de dire BONNE CHANCE ! Tu vas tout DÉCHIRER. TU ES TROP LA FÉMINITÉ À L'ÉTAT DUR ! H xxx

— Hmm.

Un sourire éclair puis j'enfile la robe blanche vaporeuse qu'on me tend par-dessus mon petit haut de sport orange trempé de sueur.

— Grand-mère, on ne pourrait pas… Enfin, tu crois que… Si on pouvait *voir ensemble* ce que je suis censée…

— Nous étudions la comédie tous les mercredis depuis près d'un an, Faith, me répond-elle, sévère. N'as-tu rien écouté ? N'avons-nous pas déjà traité tous les points essentiels ?

— Si. J'ai lu Stanislavski, Tchekhov, Meisner et Adler, je les connais par cœur. Mais je…

— Je ne vois donc pas où est le problème.

Un court silence.

— Tu as la comédie dans le sang, clarifie Lady Sylvia Valentine (cinq oscars au compteur, lauréate du BAFTA d'honneur pour l'ensemble de son œuvre, véritable trésor national britannique). Un don rare et précieux m'a été transmis par ma mère, et tu l'as reçu de la tienne.

Le chauffeur ouvre la portière au moment où Genevieve me remet un script.

Quatre nouveaux coups de klaxon pestent derrière nous.

— Tu es une *Valentine*, ma chérie, conclut Grand-mère avec un sourire crispé. Le monde entier t'a été offert sur un plateau. À *toi* de ne pas commettre d'impair.

5

FAITH VALENTINE : LES PARCS C'EST « JOLI »

Ça, c'est de l'exclu, hein ? 100 % T-Zone. Dans notre ITW EXCLUSIVE, la sublimissime Effie V m'a confié d'autres EXCLUS encore : elle aime les chênes, les sushis et la couleur verte ! Je lui ai même claqué la bise !
Tu me crois pas, KEVIN ? Clique sur la vidéo à gauche.

Pas d'impair, Faith.

Pas d'impair, pas d'impair, pas d'impair, pas d'im...

Quelqu'un shoote dans la porte au moment où je l'ouvre : le battant manque de m'éclater le nez.

— Oups ! Désolée. (Une petite blonde cheveux courts, taches de rousseur roule ses yeux verts en me voyant.) Nom d'un chihuaha, c'est toi ? Pff, j'aurais mieux fait de rester couchée. Profite bien du piston, Valentine.

Sur ce, elle sort comme une furie. Salopette, grosses bottines argentées. Minuscule, donc, mais forte présence. Je la suis d'un regard un peu incrédule.

— Faith Valentine ? crie la réceptionniste quand je me retourne. Dieu soit loué, te *voilà* ! Et tu es encore *plus belle* que sur tes portraits ! Comment se porte ta pauvre *mère* ? Juliet... Cela m'a brisé le cœur d'apprendre son... (Elle prononce la suite dans une espèce de cri chuchoté.) TRAGIQUE DÉCLIN.

Entendant mon nom, toutes les filles présentes ont braqué les yeux vers moi, paupières plissées, avant de les rebaisser.

— Elle va...

— Fabuleux ! me coupe la réceptionniste en faisant signe de bouger à une actrice qui attend devant la salle de casting. Toi, assise. J'ai reçu ordre de faire passer Faith Valentine sans attendre. Faith, je t'en prie !

Elle ouvre la porte avec une petite révérence, comme si elle devinait que je risquais d'avoir besoin d'aide pour entrer et sortir d'une pièce. Je ravale mon humiliation et m'avance.

Sois *chaleureuse*, Faith, mais pas *trop*.

Enthousiaste mais pas crevarde ; posée mais pas terne ; rigolote mais pas boute-en-train ; excentrique mais pas follasse ; fougueuse mais pas agressive ; belle mais pas inaccessible ;

élégante mais pas glaciale ; sûre de toi mais pas arrogante ; féminine mais pas girly ; gentille mais pas barbante.

Sois toi-même mais... enfin tu vois... quelqu'un d'autre.

Avec Grand-mère, les dix premières minutes de nos leçons du mercredi étaient consacrées à la méthode Stanislavski : on trace un cercle imaginaire autour de soi et on s'y enferme. Comme dans une bulle.

Mouais, je le sens pas.

Je me retrouve face à une petite foule d'inconnus qui vont m'étudier sous toutes les coutures. Me décortiquer afin de m'analyser dans les moindres détails : les yeux de ma mère, le nez de ma grand-mère, la bouche de mon père... Jusqu'à ne plus voir qu'une somme d'éléments qui ne sont même pas moi. Une mosaïque recyclée, un assemblage de traits hérités dont je suis censée prendre soin. Genre vieille pendule ou sac vintage.

— La deuxième des trois filles Valentine, lance une vieille dame équipée de lunettes à monture écaille. La petite de Mike et Juliet !

— Remarquable, enchaîne un collègue en prenant des notes. Exotique mais toujours classique. La caméra va l'*adorer*.

OK, à moi de jouer. Je m'avance. Sourire. Fossette sur la joue gauche.

— Bonjour-bonjour ! Je suis *vraiment* ravie de vous rencontrer.

Je me suis entraînée à me mordre l'intérieur de la joue en douce. Personne ne sait que cette fossette est du chiqué. Pas même Noah.

— Bonjour, je répète à chaque personne présente. (Fossette.) Salut. (Fossette.) Hé. (Fossette. Fossette. Fossette. Fossette.)

Je saigne un peu de la joue.

— Bonjour, je dis enfin au célèbre directeur de casting Teddy Winthrop.

Une vieille pomme flétrie. À côté de lui, Grand-mère ressemble à une adolescente.

— C'est un privilège de faire votre connaissance.

Re-fossette – *aïe !* – et je lui tends la main.

— J'imagine, réplique Teddy avec un hochement de tête blasé. Bien, puisque tu n'as oublié personne, nous pouvons peut-être commencer ?

Du regard (yeux bleus chassieux), il me désigne une chaise au beau milieu de la pièce. Je consulte déjà mon script.

— Sans texte, exige d'une voix glaciale le directeur de casting. Je te prie.

Je lève les yeux vers lui, horrifiée.

— Mais mon agent m'a dit…

— Certes mais on me l'a assez répété : tu es une *Valentine*. Une petite scène, ce devrait être dans tes cordes, non ?

Le réseau familial, je me demande brusquement s'il joue bien en ma faveur, là. Teddy a peut-être déjà rencontré Mercy.

— Tout à fait, j'embraie en lâchant le script. Oui. Aucun problème.

Et je m'installe sur la chaise en même temps que deux projecteurs s'allument. Je tressaille. *Trouve le cercle, Eff.* Impression d'être un spécimen rarissime de lézard dans un terrarium.

— Où est-ce que je...

— Bang, me coupe la femme à lunettes. Crac. Oooouh-iiii-oooouh. Wooou. Woou. Wooooooooou. Yiiiiha. Yiiiiha. Ouaf ouaf meuh gruik aoooooouh.

Je bloque. C'est quoi le...

— Oh ! je fais en repérant la loupiote verte de la caméra. On a commencé ? On a commencé. Hum. Fred ! Tu as entendu ? Un bruit dehors... il y a quelqu'un !

— Maisnonenfin, lit la femme avec zéro enthousiasme.

— On a commis une erreur, j'enchaîne d'une voix chevrotante. Viens, on... on s'en va. Une minute, je crois que j'ai assez de batterie dans mon...

— C'estsûrementunmoutonrelax.

— Les moutons ne font pas ce bruit-là.

— Unevachealors. (Petit coup d'œil, sourcils relevés.) Ouunechèvrejesaispascequ'ilsontcommebêtes bougepasjevaisvoir...

Une minute. Je... je la *connais*, cette femme.

Et soudain, le déclic. Une soirée organisée par mes parents il y a près de dix ans. Musique, rires, fleurs, tente blanche dans le jardin, mon frère, mes sœurs et moi assis dans l'escalier à écouter les...

— ... Bisou.

Mes parents qui portent un toast et...

— Bisou.

Des verres qui tintent, je me retourne et...

— *Bisou.*

Oups, c'est à moi ? Coup d'œil à la femme de la soirée, puis à Teddy. Je ne me rappelais pas qu'il y avait un baiser dans le script.

— Ah. Bisou ? Euh, qui suis-je censée... embrasser, au juste ?

Je regarde autour de moi, un peu perdue.

— Je m'en charge ! claironne un jeune en se levant d'un bond, au fond de la salle. S'il faut embrasser Faith Valentine, je me porte volontaire ! Enfin... bon. Juste là. Pour la répète. Genre.

Teddy le scrute jusqu'à ce qu'il se rassoie.

Je m'humecte les lèvres. *Fais quelque chose, Faith.*

Sur un coup de tête, je ferme les yeux et j'embrasse fougueusement le revers de ma main. Goût de sueur, de peur et de lingette arôme concombre.

— F-F-Fred ! (Bisou.) Ne pars pas ! (Bisou.) Je t'en supplie ! Je t'aime ! Ne me laisse pas seule ici ! (Bisou.) Imagine que, que... Oh non. Oh non, il est sorti. Il est sorti. Oh non, oh...

— Et stop, tranche Teddy Winthrop.

Je stoppe.

— Tu nous fais quoi, là ? me gronde le directeur de casting. Tu le veux, ou pas, ce rôle ? La télévision est *indigne* des célèbres Valentines, c'est ça ?

— Non ! je panique. Pas du tout, enfin. Je veux vraiment ce rôle, monsieur. La comédie, c'est toute ma vie.

— Merci de le préciser. (M. Winthrop adresse un coup d'œil à la femme aux lunettes puis se retourne vers moi.) Ton personnage est le dernier survivant. Aux yeux du public, c'est *toi* le film maintenant. Tu es seule, tu es terrifiée, il se passe un truc flippant, et tu dois tenir la baraque. Alors assure.

— Je devrais peut-être… bouger un peu, non ?

— Fais la roue si ça te chante, je m'en moque du moment que tu es plus charismatique qu'un noyau de pêche.

Aïe. *Sois l'orange, Faith.*

Je redresse les épaules et me lève ; je change d'avis et me rassois ; je rechange d'avis et me relève. Je tourne la tête d'un côté, de l'autre. Comme si mon cœur était piloté par un… conducteur sans permis.

Mets-y du tien, Faith. Donne-toi plus de mal. Montre-leur.

J'inspire à fond et je hurle :

— NOOOOON !

Un poing serré contre ma poitrine, je tombe à genoux, ferme les yeux.

— Fred ! FRED !!! (*Montre-leur.*) FREEED !!!

— Bon, je crois que ça va aller.

Je rouvre les yeux, j'ai les joues en feu.

— Je vous en supplie, monsieur Winthrop. (*Pas crevarde. Pas crevarde.*) Je ne pourrais pas plutôt…

— Non merci, me coupe Teddy. Envoyez la suivante, je vous prie.

Je bats des cils, me racle la gorge et me lève doucement. J'époussette ensuite ma robe, me passe la main dans les cheveux et je souris. Parce que le rideau est toujours levé, parce que le public observe en permanence et qu'il faut saluer, même si personne n'applaudit.

— Merci de m'avoir accordé de votre temps, je déclare poliment en inclinant la tête. J'espère qu'on se reverra à l'avenir. Au revoir.

Et je m'éclipse.

Sauf que la porte est franchement trop mince.

— Bon, grogne Teddy Winthrop de l'autre côté. Elle est très belle, je confirme, la « beauté glaciale », mais je préférerais engager une table basse.

Je referme les yeux.

— Dommage, approuve la copine de mes parents. Un amour, cette fille. Pas comédienne pour deux sous, mais bon sang… quel visage.

6

À VOUS L'ÉCLAT VALENTINE !

Comment resplendir façon Valentine quand on n'est pas fille de star, qu'aucun couturier ne vous envoie de goodies et que votre compte est un peu à sec ? Facile, suivez nos conseils petit budget !

Bon ben voilà.

Le chauffeur de Grand-mère descend de la limo, porte la main à sa casquette et m'ouvre la portière. Je grimpe et lance aussitôt :

— Un vrai triomphe ! Je ne sais pas trop ce qu'ils recherchaient... (Un être humain capable d'incarner un autre être humain de façon convaincante, peut-être ?)... mais le courant est hyper bien passé avec le directeur et la prochaine fois je crois que...

Pas un chat dans la limo.

— Elles sont allées ensemble faire des emplettes chez Fortnum & Mason, mademoiselle, m'annonce le chauffeur en même temps que j'efface mon sourire, soulagée. Votre grand-mère compte ensuite prendre le thé au Hilton, me semble-t-il.

Elle est trop, Grand-mère. Du jour où elle a décidé de se la jouer grande lady – avec canne, port de reine, mine hautaine et *thé au Hilton* – elle n'est plus jamais sortie du rôle. Surtout ne pas oublier que je suis moitié américaine et moitié seulement Downton Abbey.

Mon téléphone tinte.

Bébé, cet album me sort par les oreilles. Viens me consoler ? :(N x

— Où allons-nous, mademoiselle ? m'interroge le chauffeur en s'installant au volant. Lady Sylvia a précisé que vous étiez la bienvenue, si vous désiriez vous joindre à elle.

Je fais semblant de peser le pour et le contre. Politesse.

Hmm… dégustation de scones au milieu des dorures et de la foule (« Je ne vous ai pas présenté ma petite-fille Faith ? L'avenir des Valentines, c'est elle. Doucement sur la confiture, ma chérie… »), ou séance contemplation devant mon adorable chéri qui tripote les boutons d'une énorme console de mixage qu'il sait tout juste utiliser ?

Tsunami de soulagement. Je récupère la trousse de maquillage cachée dans la portière et me regarde dans le minuscule miroir. J'ai l'air vannée. Mais bon, quelques pores comblés, quelques touches d'highlighter, de fond de teint, de correcteur, de blush, de mascara, d'eye-liner, d'autobronzant et on n'y verra que du feu.

Allez, au boulot.

Bénis soient les mecs.

— Conduisez-moi à Abbey Road, s'il vous plaît, John.

Noah m'attend sur le trottoir.

Je le repère dès que la limo s'arrête devant les célébrissimes studios d'enregistrement. Mon chéri perché sur une borne, ses longues jambes pliées, ses grands yeux noirs plissés de concentration tandis qu'il bat le rythme sur sa cuisse. Vous voyez le moment où vous plongez dans un bain chaud : ça picote partout, vous avez l'impression de flotter, vous avez peur de fondre mais quelque part ça ne vous dérangerait pas ?

Ça me fait la même chose chaque fois que je vois Noah Anthony. Comme si je disparaissais sans l'ombre d'un regret.

— Eff' ! m'interpelle-t-il quand je descends de voiture. (Je souris, sans fausse fossette cette fois.) Ouf, te voilà ! J'ai enchaîné les trois mêmes accords toute la matinée, je n'en peux plus.

Il a le nez un peu dévié : son frère le lui a cassé quand il était petit. Une cicatrice au-dessus de l'œil gauche. Les incisives un peu de travers parce qu'il n'a jamais voulu porter d'appareil. Mais c'est la somme de ces imperfections qui rendent mon chéri aussi craquant.

Mon sourire s'élargit à mesure que je m'avance vers lui. Il s'est rasé le crâne avant-hier, pour un look plus dur, mais en fait ça l'adoucit, ça le rend vulnérable, genre petit agneau. Je l'embrasse, puis je l'observe attentivement.

— Hé. C'est si terrible que ça ?

Il grimace.

Noah répète tout le temps que le succès est un tour de montagnes russes qui l'épuise. Mais je sais qu'il en raffole.

La pression, c'est son truc, mais il aime aussi se la jouer artiste accablé alors je ne dis rien.

— L'horreur, soupire-t-il en roulant les yeux. Parfois je me demande à quoi bon m'acharner, tu vois ? Ça me manque, l'époque où je grattouillais ma guitare seul dans ma chambre. Aujourd'hui les accords ne sonnent pas.

Il fait des yeux de chien battu, du coup je cherche la blagounette qui tue.

— Tu sais comment on fait cuire un poisson avec un piano ?

— Hein ? me renvoie Noah, le front plissé.

— On le pose dessus et on fait do, ré, la, sol.

Un blanc.

— Do, ré, la, sol : dorer la sole, je répète en articulant bien.

Mon copain lâche un petit rire, puis me claque une bise sur le nez. Limite gênant.

— Qui a dit que les jolies filles n'avaient pas d'humour ? ajoute-t-il.

Soulagée, je lui rends son baiser et réplique :

— Tout le monde ou presque.

— On vit une triste époque, plaisante-t-il.

Brusquement, mon ventre se noue.

— Noah ? Ce matin... Mon audition... ne s'est pas... super bien passée. Je ne pense pas avoir... assuré. Je ne crois pas leur avoir donné... la pêche.

Plus charismatique qu'un noyau de pêche... Je préférerais engager une table basse.

— Dis pas de bêtises, bébé, me rassure-t-il avec un sourire fier. Tu te déprécies tout le temps. Tu devrais plutôt croire en toi, autant que moi je crois en toi. (Je sens venir le jeu de mots...) Après tout, tu t'appelles *Faith*, tu as déjà de la *confiance* en toi.

Il se marre. Ça ne loupe jamais.

— Je suis sérieuse, Noah, j'insiste, les yeux soudain humides. C'était atroce. Grand-mère va me défoncer, mon agent va criser, et moi je ne sais pas ce que je ferai si...

— Tu veux me faire croire qu'on pourrait dire non à une beauté pareille ?

Il se recule et me désigne d'un geste ample, comme si j'étais une déesse.

— Tu es la plus jolie fille du monde. La plus gentille aussi. Allons, Eff'... Tes yeux... Tes cheveux... Ta bouche... Tes...

Je roule les yeux et lui colle une petite tape.

— OK. Merci, Noah.

— Je dis juste…, conclut-il en me prenant le visage avec ses deux mains. Il faudrait être *aveugle*.

On échange un long regard amoureux.

Un bref instant, je revois mon chéri tel qu'il était à notre rencontre, lors de l'after des BRIT awards. Il fêtait sa première victoire alors que moi j'aidais les serveurs à ramasser des hors-d'œuvre, accroupie par terre.

Un peu obligée. C'est Mercy qui les avait bousculés.

— Noah…

Il a le regard un peu dans le vide, je sens des micro-pressions sous ses doigts.

— Noah ? Tu joues du piano sur ma figure ?

— Hein ? Non. De quoi ?

— Mais si.

— Pas du tout ! On parlait de ta carrière, Eff, de ton destin, de ta vie et… (Il gratte son crâne rasé.) Mouais, bon, j'avoue. Mais je repensais à ta petite « blague ». Et je crois qu'elle a résolu mon problème. Do, ré, la, sol : c'est ça, il manque un sol mineur dans ma suite d'accords !

J'éclate de rire. Il vient pourtant de dénigrer ma tentative d'humour.

Avec lui, impossible de se fâcher. À cause de ses cils interminables et de son regard de petit chiot tout chou. Je le pousse vers le studio.

— Vas-y. Va trouver ta note avant qu'elle s'envole.

Noah se donne du mal pour avoir l'air embêté.

— Sûre ?

— Sûre.

— Non parce que tu sais…

Il me prend par la main, m'attire à lui. Je sens son souffle sur mes lèvres : doux, tiède, corsé. Il s'est remis au café trois sucres.

— Tu t'es déplacée jusqu'ici et mon nouvel album n'est pas si important que ça. Je dois pouvoir me contenter de la deuxième place des charts et t'accorder un peu plus de temps…

Mes narines frissonnent mais j'essaie de rester sérieuse.

— Va l'enregistrer, ta chanson.

— Numéro 3, même, c'est pas si mal… (Il dépose un baiser sur mon front.) Ou alors, je jette ma guitare et on…

Je le pousse encore.

— Allez, fonce.

Un bisou sur mes cils.

— … et on s'offre une séance câlins…

— Du balai, Noah Anthony.

Et c'est là que j'entends les clics.

7

Je pivote sur moi-même. Les appareils photo sont braqués sur nous, on dirait des fusils.

— FAITH ! NOAH !

Les paparazzis surgissent de partout. Derrière les murets, les poubelles, derrière les voitures, ça gueule, ça se bouscule.

— PAR ICI ! ALORS C'EST OFFICIEL, VOUS VOUS ÊTES REMIS ENSEMBLE ?

— TOUJOURS EN FROID ? VOUS VOYEZ UN CONSEILLER ? UN EXPERT EN RELA-TIONS ?

— UN MOT SUR LA RUMEUR AVERY ?

— COMME NOM DE COUPLE, VOUS PRÉ-FÉREZ FOAH OU FAINOAH ?

— OU NOITH ? NITH ?

Noah éclate de rire.

— Fainoah, j'adore, on dirait un cocktail pour hipster.

Moi, j'ai le cerveau en ébullition. Je me repasse en boucle les derniers instants de notre conversation. Ils sont là depuis quand ? Ils ont vu quoi ? Ma montée de larmes ? Comme si on se disputait ?

Je pousse encore Noah et il s'agrippe toujours à ma main.

Oh purée, je lui ai mis *une tape*.

— RÔÔÔ, ALLEZ, QUOI, FAITH ! SOIS PAS SI DURE AVEC LUI ! me rappelle justement un paparazzi.

Horrifiée, je me tourne vers mon chéri.

— Oups, s'excuse-t-il en esquissant un sourire. Mes responsables média ont dû les prévenir, je parie. Désolé...

Je bats des cils à mort, cherche une issue de secours.

— Hé, hé, fait Noah en me prenant par les mains. Ne te mets pas dans tous tes états, bébé. C'est le jeu de la célébrité, hein ? Moi non plus je n'aime pas, je déteste, même... (*Tu parles.*) Mais qu'est-ce que tu veux ?

Sais pas. Déjà, ne pas livrer aux paparazzis les détails de tous nos faits et gestes ?

Ce que je veux, surtout, c'est pouvoir enlacer mon chéri pendant sa pause sans que des millions d'inconnus essaient de décrypter tout ça au petit déjeuner le lendemain. Sans avoir à juger en microdétail l'expression de mon visage, ma coiffure ou ma tenue ; sans que notre langage corporel soit analysé à longueur d'articles. *Elle s'est éloignée : leur relation se fissure. Leurs pieds ne sont pas tournés dans le même sens ? Cela trahit un manque d'intimité. Et regardez, là, ses yeux qui s'embuent. Ce couple bat de l'aile. Priez pour eux, chers lecteurs ! Priez pour FOAH !*

Sauf que je me donne l'impression d'être aigrie et ingrate, c'est-à-dire absolument pas séduisante, alors je me creuse la fossette comme jamais.

— On ne pourrait pas…

— Je viens d'avoir une idée, m'interrompt Noah, songeur, le regard qui se remet à briller. C'est vrai, quitte à ce qu'ils pondent des articles sur nous, autant leur fourguer de la matière ? Et se marrer un peu.

— Carrément, j'acquiesce avec force. Bonne idée !

Un clin d'œil, et mon chéri me chuchote :

— Prête ?

J'acquiesce encore.

Puis il m'embrasse, fougueusement. Une main au creux de mes reins, l'autre perdue dans mes cheveux, il me bascule tellement en arrière que je dois me cramponner. Ça me fait tout chaud, ça m'essouffle, ça me laisse bizarrement faible.

Un baiser de cinéma. Un baiser de poster. Un baiser de une.

Clic clic clic clic clic clic.

Le rouge aux joues, je lui rends son baiser.

— Et maintenant, ouste ! lance Noah aux paparazzis quand on se dégage enfin. Du vent, les papz ! Zou ! Un peu d'intimité, quoi ! Vous avez vu cette beauté ?

Les photographes se marrent. Noah est dingue de la célébrité, il la recherche, la cajole. Et la célébrité est dingue de lui. Pour moi, c'est un fardeau et les papa-razzis le voient bien, malgré toutes mes fossettes.

— Je t'adore, me chuchote Noah en me pressant la main. Tu le sais, hein, Eff ?

— Oui, je lui réponds en souriant. Moi aussi je t'aime.

— Je t'appelle ce soir ? Après le show ?

J'ai intérêt à régler une alarme pour minuit : Noah est toujours surexcité et surcaféiné après un concert, ça sent la visio jusqu'à pas d'heure.

— Oui. On se voit toujours…

— Demain ? C'est clair, bébé. La date est gravée juste là.

Il se tapote la poitrine avant de déposer un doux baiser sur mon front. Zéro photo. Un bisou sur le front ça n'intéresse personne sauf si c'est légendé : *Début de la fin pour Fainoah ?*

— Bonne chance, je lâche à mon chéri qui rentre dans le studio en pianotant sur un clavier invisible.

J'inspire à fond et redresse la tête. Mais pas trop. Sans arrogance ni mépris. Juste pour montrer de l'as-surance : la fille bien dans ses baskets, heureuse dans sa relation longue.

La portière de la limo m'attend, ouverte.

Tête haute, tête haute, tête haute, sourire, sourire, assurance, assurance. Je monte, la portière se referme et je m'avachis derrière les vitres teintées.

— Au manoir ? me demande John le chauffeur.

— S'il vous plaît, oui.

Je ferme les yeux.

Je porte encore du blanc.

Sauf que là c'est un drap noué autour du cou, un chapeau blanc (exagérément) large de ma mère et une vieille paire de baskets trop grandes. Je suis perchée sur un carton retourné au milieu de la pièce, à moitié cachée (volontairement) par le bord du chapeau.

J'ai à la main une… bougie ?

— Et *où*… (Le garçon rajuste son écharpe émeraude.)… *étiez-vous* à 18 h 38 hier soir ? Je ne vous demande pas la lune, *madame*.

— Je…

— Ne réponds pas !

Une jeune fille en pull turquoise trop ample et chaussettes bleues surgit en agitant un tuyau d'aspirateur.

— C'est une abjecture ! Rien ne t'oblige à lui répondre !

— Vous n'êtes pas l'*avocate* de cette charmante dame, madame P, glousse-t-il. Vous aussi êtes suspecte.

— Oui et... et vous aussi ! Avec votre... fichue clé anglaise et vos oreilles d'âne, *voilà*.

— Brutus, Birdy. Chopez-le.

Je relève le bord du chapeau pour mieux voir : une petite langue rose darde vers l'autre garçon (fourrure jaune vif, une corde à sauter moutarde à la main).

— On ne pourrait pas activer le mouvement ?

Sous un chapeau rouge farfelu, deux yeux luisants scrutent un poignard en plastique.

— La représentation est pour ce soir, et il y aura du beau monde.

— J'étais...

Je m'éclaircis la voix, promène mon regard dans la poussière du grenier. Tout le monde m'observe. La panique monte, comme d'hab'. Où étais-je à 18 h 38 hier soir ? À qui appartient cette bougie ? Que fait-elle dans mes mains ?

Suis-je la coupable ?

— J'étais... j'étais... je...

Je m'essouffle, mes joues s'embrasent. Mes mains passent sur ma figure.

— Je n'ai... Je ne... *Je ne m'en souviens pas !*

Court silence.

— Elle sait qu'elle n'a rien fait, quand même, non ? C'est dans le script, quoi. Elle ne compte pas avouer un meurtre qu'elle n'a pas commis, si ?

— Fabuleux, elle va tout gâcher.

Des baskets violettes maculées de boue entrent dans mon champ de vision. Une voix grave et rauque, avec une pointe de rire, s'adresse à moi :

— Hé, toi, descends de scène.

Abattue, j'obéis.

— Roule-toi en boule par terre et respire.

Je fais ce qu'on me dit.

— Maintenant, tu fermes les yeux et tu te concentres, OK ? Tu es ronde, toute piquée. Tu as une couleur vive. Tu es sucrée et on peut te découper en quartiers. Tu as des pépins et tu te maries très bien avec le chocolat. Vu ?

Je presse les paupières aussi fort que possible.

— Non. Quoi ?

— Si tu arrives à te convaincre que tu es une orange, tu feras croire n'importe quoi à n'importe qui. Maintenant tu te lèves et tu réessaies, m'ordonne la voix dans un rire sec et familier.

Lentement, je me relève et me racle la gorge.

Sois l'orange.

— JE-SUIS-INNOCENTE ! je m'écrie en écartant le chapeau de Maman tandis que mon texte me revient brusquement. C'est lui, avec une clé anglaise, dans le jardin d'hiver ! Je l'ai vu ! Vous êtes le meurtrier, monsieur ! Avouez !

Maigres applaudissements soulagés, puis c'est au tour de la fille en rouge. Elle me dégage du carton en roulant les yeux et se lance dans le monologue de trois pages qu'elle a écrit.

Je me tourne vers les chaussures violettes.

On m'adresse un clin d'œil mêlant fierté et affection puis, lentement, la silhouette se désagrège, se réduit en poudre.

En peinture.

En aquarelle lilas, violet et lavande : elle se fond dans l'air, dessine un tourbillon améthyste avant de filer vers la fenêtre, et quand je m'aperçois que celle-ci est ouverte, je bondis de toutes mes forces, tente de la fermer, de retenir la couleur dans mes mains, hélas le violet me coule sur les doigts, sur les bras, m'imprègne sans que je puisse… sans que je sache comment faire pour…

retenir…

Impossible…

Je ne…

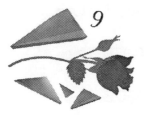

9

Je sursaute.

— Où suis-je ? Non, non, quelle *heure est-il* ?

En stress, je scrute mes mains. Coup d'œil circulaire : je suis toujours à l'arrière de la limo. Je regarde à travers la vitre teintée.

On est garés au bout de l'allée, mais le soleil est bas dans le ciel. Combien de temps ai-je dormi ? J'hallucine. J'ai loupé l'heure pour poster les autres photos de Genevieve, il faut que je me douche, me masque, me lave les cheveux, me les sèche, me change, me prépare, me maquille, apprenne un nouveau script, appelle Noah, prévoie la journée de demain…

Oh non. Oh non. Non, non, non…

— On m'a demandé de vous laisser dormir, mademoiselle, m'explique le chauffeur en posant son journal et en m'adressant un regard tendre. Vous sembliez en avoir besoin, d'après votre grand-mère.

Les joues roses, je saisis mon portable : 17 h 30. La loupiote clignote comme une folle.

APPEL MANQUÉ : Hope

APPEL MANQUÉ : Hope

APPEL MANQUÉ : Hope

APPEL MANQUÉ : Hope

APPEL MANQUÉ : Hope

T ou ? RENTRE !!! Hope :) XXX

Yo, sœurette, t'est ac ton mec ? Besoin de toi ici ! Max x

LOL *t'es. Me juge pas. Max x

APPEL MANQUÉ : Hope

APPEL MANQUÉ : Hope

APPEL MANQUÉ : Hope

Salut, Faith,
J'ai eu le retour de ton audition.
Ils ont décidé de prendre une autre direction mais te remercient de leur avoir consacré du temps. Ils ont

indiqué que tu avais eu un peu de mal, donc je te suggère de nouveau qu'on étudie les rôles plus modestes, afin de te préparer par étapes aux plus grands. C'est une méthode qui a fait ses preuves et te permettra de progresser à ton rythme.

J'espère que tu n'es pas trop déçue.

En pièce jointe, un nouveau script pour une audition le mois prochain.

Persephone

APPEL MANQUÉ : Hope

APPEL MANQUÉ : Mercy

Mercy ?

Déjà, je suis limite surprise qu'elle ait mon numéro. Chaque fois qu'on se dispute, elle me supprime de ses contacts.

Je remercie John fissa, jaillis de la voiture et sprinte vers la maison. Je stresserai pour l'audition plus tard. Je me suis déjà réservé un créneau à 3 heures du mat', pour rester éveillée à mater le plafond, ce sera parfait.

Je pousse la porte et…

— … MAISON ! TU OSES TE POINTER COMME UNE FLEUR ET…

— … HYPOTHÈQUE. ET LES FACTURES. ET LES…

— … CETTE FAMILLE DEPUIS UN SIÈCLE ET TU VOUDRAIS Y FAIRE ENTRER TA NÉNETTE…

— ROZ N'EST PAS UNE…

— *COPINE. CHÉRIE.* ÇA TE PLAÎT MIEUX ?

— NE FAIS PAS L'ENFANT, JULIET ! À AUCUN MOMENT JE N'AI DIT QUE…

— AH, PAS DE ÇA AVEC MOI ! TU NE ME TRAITES PAS COMME SI J'ÉTAIS UNE…

— ALORS ARRÊTE DE TE COMPORTER COMME…

Je me mords la lèvre et entre dans le salon.

C'est comme quand on prend l'avion. Un moment on est tranquille à lire un magazine et déguster le plateau-repas ; l'instant d'après on traverse un énorme nuage noir. On ne voit plus rien, on sent juste les secousses, ça s'agite dans tous les sens et on se retrouve avec du bœuf Stroganov sur les genoux.

L'orage, c'est mes parents.

Maman : mince, sublime, tons argent, l'électricité qui crépite dans ses clavicules, ses articulations, à la pointe de son menton.

Papa : voix grave et puissante qui rugit, qui gronde, quelques secondes après.

À ma droite, Max est allongé sur un canapé : il mange une pomme en se la jouant blasé, ses longues jambes étirées, lunettes de soleil sur le nez. Il fait semblant de lire un livre. Hope est assise sur un autre canap', le regard rivé au plafond, les doigts crispés. Mercy semble léviter sur place, un drôle d'éclat dans les yeux, une drôle de rougeur aux joues.

« Divorce à l'amiable », vraiment ? Pourquoi les actrices et les réalisateurs ont-ils *toujours* besoin d'un public ?

— ON EN A DÉJÀ DISCUTÉ ! explose Papa. JULIET, ON EN A DISCUTÉ, EN LONG ET EN LARGE, IL Y A CINQ JOURS ! TU ME FAIS QUOI, LÀ ? POURQUOI FAUT-IL TOUJOURS QUE TU FASSES UN...

— ... AMENER *CETTE FEMME* ET ME *REM-PLACER* COMME SI J'ÉTAIS UNE VULGAIRE...

— ... DU TOUT CE QUE JE PROPOSAIS. CE N'EST PAS SE COMPORTER EN ADULTE...

— ... EN ADULTE ? JE NE TE PERMETS...

Hope bondit de son canapé sitôt qu'elle m'aperçoit et accourt, un sac en toile au logo de l'école à la main.

— Eff' ! Regarde ! Ils m'ont filé une trousse pleine de crayons comme je t'avais dit et il y a un club théâtre et j'ai rencontré une fille qui s'appelle Olivia ! C'est fou, non ? Elle est Poissons comme toi du coup on est *hyper* compatibles. Je crois qu'elle va être ma meilleure copine pour la vie, trop cool, hein ?

Eeuh, je ne suis pas Poissons. Mon anniv' tombe en octobre, je suis Balance. Mais ce n'est pas le moment de se lancer dans des considérations astrologiques.

Ma petite sœur a les joues roses et elle se dandine sur la pointe des pieds. Traduction : elle a hâte de filer. D'être *ailleurs*.

Rapide coup d'œil à Max et Mercy. J'ignore depuis quand dure la dispute, mais mon frère a le regard dans le vide derrière ses lunettes, et Mercy a un muscle de la joue qui tressaute.

Il faut que ça cesse, genre *tout de suite*. Alors je prends les choses en main. Je m'avance avec calme dans l'énorme nuage noir et claque une bise à mon père.

— Papa ! Comment s'est passé ton vol ? Tu m'as trop manqué ! Et la Californie, ça va ? Ton film s'est bien goupillé ? Des nouvelles de Roz ?

Je me tourne ensuite vers ma mère.

— Maman ! J'ai croisé une de tes plus grandes fans aujourd'hui. Elle t'a adorée dans *Au sommet* et n'arrêtait pas de dire que tu avais trop de talent.

— Hope ? (Cette dernière me scrute, les yeux écarquillés, guette les instructions.) Tu veux bien nous faire du thé ? Max, monte donc les affaires de Papa. Mercy…

Elle tire la tronche, mais je perçois du soulagement dans ses traits, comme si je venais d'arrêter une série télé qu'elle déteste mais ne peut s'empêcher de suivre.

— Et si tu nous apportais… des biscuits ?

Mes parents reprennent peu à peu leurs esprits. Ils regardent autour d'eux, comme des gosses qui se réveillent. Papa est gêné ; Maman se referme sur elle-même.

Ils ne se disputent pas vraiment – on l'a tous compris – mais il faut parfois intervenir avant qu'ils s'entredéchirent, ne serait-ce que pour capter ce qui se passe.

— Des biscuits ? râle Mer'. Tu veux que j'apporte des *biscuits* ? Je suis pas un *clébard*.

Avec un bref regard plein de gratitude, elle s'éclipse.

La tension quitte la pièce. Papa se tourne vers Maman, le regard implorant.

— Juliet, reprend-il carrément plus bas. Je t'en prie. Je ne comptais pas amener Roz ici, enfin. Ce serait du plus mauvais goût. Elle est descendue dans un hôtel en ville. Mais je me disais que ce serait une bonne idée qu'on fasse tous connaissance avant que les paparazzis découvrent le pot aux roses. Nous n'avons pas encore annoncé notre divorce, je te rappelle.

Maman redresse sa sublime tête. Son regard gris se fait distant, elle n'est plus vraiment avec nous.

— Soit. Tu n'avais qu'à le dire, Michael. Il y a eu méprise. Nous ne pouvons hélas accueillir de visiteurs.

Quinze chambres dans le manoir, quand même.

— Hmm, toussote Papa. Et j'ai pensé que les enfants auraient peut-être envie de sortir dîner avec Roz. Pour mieux se connaître, comme je disais.

— Ô joie, ironise Mer' en revenant les mains vides mais la bouche pleine de cookies. Ta nouvelle copine a l'air absolument exquise, Papa.

— Je confirme ! s'écrie Po, derrière elle, renversant trois tasses de thé sur le tapis blanc. Roz est topissime, Mer' ! Trop mais trop gentille et grave intelligente, avec des shorts qui ont genre un million de poches et je t'ai pas dit le mieux : j'ai trop hâte qu'elle vous psychotise tous. Toi, surtout, Max.

— Allons bon, s'esclaffe Max. Pour être honnête, je suis peut-être le personnage le plus fascinant de cette famille.

— Tu parles ! le recadre Mercy. Dans tes rêves.

Et je sens mes proches qui reprennent leurs marques, retrouvent leurs textes.

— Il va sans dire que j'adorerais me joindre à vous, affirme Maman d'un ton glacial. Mais la psy yankee allergique au chic devra encore attendre pour me faire signer.

Le dos raide, elle quitte le salon.

— Bon sang, chuchote Max tandis que nous nous glissons dans le couloir désert. Bien joué, Eff'. Cinq minutes de plus et on tombait dans la télé-réalité. Tiens, en parlant de ça…

Pour tout dire, je suis un peu patraque. Comme si j'avais aspiré l'énorme nuage noire. Et qu'il restait logé dans ma poitrine comme du goudron poisseux.

Mon téléphone tinte, j'y jette un coup d'œil.

— Faith, m'interpelle mon frère alors que je m'assois sur une marche de l'escalier pour refaire mes lacets. Sœurette… pitié, ne me dis pas que tu sors encore courir.

Je fronce les sourcils. L'exercice, ça fait du bien, tout le monde le sait.

— J'ai juste besoin de prendre l'air.

10

NOAH ANTHONY A « BESOIN D'ESPACE »

C'est une Faith Valentine furibarde qui s'est chamaillée avec son chéri « à temps partiel », Noah Anthony, devant les studios d'Abbey Road, ce matin. Studios où Noah enregistre son nouvel album. Faith le repoussait, les larmes aux yeux, alors même que Noah s'efforçait de la calmer.

« Manifestement, affirment les experts, elle n'apprécie pas que Noah ne lui consacre pas tout son temps. À force, il va finir par s'éloigner. »

Noah est bien de cet avis.

« J'ai besoin d'espace », nous a-t-il confié.

Je longe le fleuve en soufflant fort.

Je m'efforce de ne penser qu'à l'air qui entre dans mes poumons et au bruit de mes semelles sur le sol. Ainsi qu'aux tons atténués du jour, ces sublimes argent, gris et aussi... Non mais *sérieux*, quoi ?

Focus sur ton rythme cardiaque, Faith. Sur la sensation de chaleur dans tes cuisses, sur tes joues.

Respire. Respire. Resp...

Stop, ils se *foutent de moi*, ou quoi ? Je me suis pointée au studio parce que Noah me l'avait demandé. C'est même *moi* qui lui ai conseillé de se concentrer sur l'écriture.

Je contourne un arbre, enjambe une branche tombée.

Chéri « à temps partiel » ? N'importe quoi ! Il était en *tournée*.

Boostée par la colère, j'accélère. J'hallucine qu'ils aient encore osé déformer ses paroles (virage à gauche, je m'enfonce dans le bois). Son « J'ai besoin d'espace » est sûrement sorti de son contexte, mais ils ont quand même réussi à trouver des preuves. Des photos de moi pas flatteuses, la mine hostile ; Noah épuisé et l'air plus que patient.

Respire. Respire, res...

Notre baiser de stars n'a même pas été imprimé ?

Les relous se galochent pour la 3 000ᵉ fois, ça n'est pas vendeur. Je sais bien que c'est sans importance, que ce ne sont que des photos, que ça ne compte pas, pas du tout même...

Sauf que ça compte.

Je vais les revoir partout : dans mon carnet à coupures de presse, dans les magazines qui les analyseront, chaque fois qu'une fan de Noah me beuglera « TU POURRAIS PAS LUI LÂCHER LA GRAPPE ! » devant un restau. Chaque fois qu'on publiera une photo de Noah et une danseuse avec la légende « Moment de détente avec la très détendue Avery ». Chaque fois qu'un grand rôle me passera sous le nez au profit d'une actrice moins « diva ».

Chaque fois que je me retiendrai de prendre Noah par la main en public de peur de faire pitié. Chaque fois que je me retiendrai de l'embrasser pour ne pas faire crevarde.

Tous ces articles, toutes ces photos, tous ces titres s'immisceront entre nous. Ils écriront une version de notre couple qui sera fausse mais à laquelle on finira par croire, lui comme moi. Jusqu'à ce que le fossé entre la réalité et la fiction soit trop grand. Comme pour mes parents.

Le front plissé, je frôle une branche qui accroche et déchire ma robe à la noix.

Ils veulent du « furibarde », je vais leur en donner.

Sauf que non, bien sûr.

Je me fige, je m'essuie le nez à mon poignet et je reprends mon téléphone. Tant pis pour Genevieve et sa photo de chiot craquant, je dois poster un selfie illico, ou bien le monde va croire que je me cache, morte de honte.

L'appareil au-dessus de ma tête, j'affiche un sourire fossette.

Clic.

J'examine la photo. Il y a un paquet de chips par terre, derrière moi. Je le ramasse, le fourre dans une poche et reprends la pose, le menton un peu incliné.

Clic.

Cette fois j'ai un front de baleine.

Clic.

L'œil gauche plissé.

Clic.

Oups, trop de seins sur celui-ci. Pas très Valentine, ça.

Clic.

Crispée et crevarde.

Clic.

Trop autoritaire ?

Clic.

Trop tarée ?

Clic.

Ça vous l'a déjà fait quand, à force de répéter un mot, il perd son sens et n'est plus que du bruit ? Là, mon visage, pareil.

Clic.

Il commence à ressembler à un assemblage de formes.

Clic.

Deux globes noisette, un gros bout qui ressort au milieu, deux masses roses flasques, une grappe de taches marron et des poils.

Clic.

Limite j'ai l'impression de pouvoir remodeler mes traits : décaler mes lèvres sur mon front, me fourrer les yeux dans les oreilles et me retourner le nez comme Mme Patate.

Clic.

Je te plais, comme ça, Instagram ?

Belle soirée à toutes et tous ! Dans des moments comme ça, j'ai le cœur près d'exploser de bonheur !! Je vous souhaite la plus tendre des soirées xxx

Et… ENVOYER.

Deux fenêtres s'affichent sur mon écran :

SUPER NEWS DANS LA T-ZONE !

Notre chouchoute EFFIE VALENTINE sera bientôt sur le marché ! Les pop stars ne savent pas GÉRER les VRAIES FEMMES. Crétins. Tout le monde le sait, un CANON comme ça, ça se mérite. S'il ne veut pas faire d'efforts, moi je m'en charge ! Appelle-moi, Effie ! Mon numéro est dans la rubrique CONTACT.

**FAITH VALENTINE
– DÉESSE OU SIMPLE MORTELLE**

Cliquez ci-dessous pour voter !

Oh mais nom d'un…

J'ai l'impression d'être une décapotable qu'on aurait achetée sur un coup de tête : splendide chez le concessionnaire mais tellement dure à entretenir qu'on me laisse au garage sous une bâche.

Début de nausée. J'avale ma salive et envoie un SMS à Noah.

Hé. T'as vu les titres ? Beurk ! LOL xx

Nouvelle fenêtre :

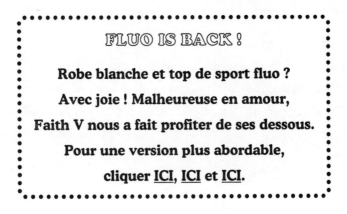

FLUO IS BACK !

Robe blanche et top de sport fluo ?
Avec joie ! Malheureuse en amour,
Faith V nous a fait profiter de ses dessous.
Pour une version plus abordable,
cliquer ICI, ICI et ICI.

Là, je me marre carrément.

Évitez de vous saper comme moi, surtout : vous écouteriez les conseils d'une mémé et d'une nana qui se douche aux lingettes.

Ding.

GRAVE ! Par contre, tu es trop sexy, t'inquiète !
N xx

Je bloque sur le SMS de Noah. *Eeeuh, je crois qu'on s'est mal compris, là.* Puis je réponds.

Rôôô. Merci :) :) :) xx

Sur ce, tous mes sourires effacés, je fourre mon téléphone dans ma poche.

Et je reprends ma course.

APPEL MANQUÉ : Persephone

APPEL MANQUÉ : Grand-mère

APPEL MANQUÉ : Persephone

Slt Faith,
Appelle-moi dès que tu peux. Persephone

APPEL MANQUÉ : Persephone

APPEL MANQUÉ : Persephone

Faith, gros journaliste ciné veut absolument te parler. Rappelle-moi vite. Persephone

APPEL MANQUÉ : Grand-mère

APPEL MANQUÉ : Noah

Hé, bébé, g vu les journaux !! Tu déchires tout
N xxxx

La. VACHE. Max

Yes yes yes yes yes yes yes yes yes yes yes yes
yes yes yes yes yes yes yes yes yes yes !!! Hope
xxxxxx

SÉRIEUX ?

Mercy estime que sa « voix intérieure » est toujours
reconnaissable, du coup elle signe rarement. Je bats
des cils, perdue, me redresse brusquement sur mon lit
et me tourne vers mon réveil.

10 heures. J'ai dû trop me donner au footing hier, je
n'ai pas entendu l'alarme, ni mon horloge biologique,
ni les oiseaux, ni mon téléphone en folie. Il clignote en
mode feu d'artifice.

Je roule sur moi-même. Le côté gauche de mon lit
est tout froissé, il y a de l'eye-liner noir sur l'oreiller.
Mercy a dû dormir avec moi et se lever sans que je
remarque quoi que ce soit.

La tête dans le sac, j'attrape mon peignoir et fonce
au rez-de-chaussée.

— Et la voici ! claironne Max à la porte de la cuisine en mangeant de la confiture de fraises à même le
pot. Faith Valentine. Mégastar, icône, sirène. Vision

matinale avec front gras et crotte de nez dans la narine gauche.

Je m'essuie d'un geste machinal. En stress, je chope mon frère par le tee-shirt.

— Qu'est-ce qui s'est passé ? Oublie tes moqueries habituelles et dis-moi tout !

— Me touche pas avec les cure-nez qui te servent de doigts, s'esclaffe Max en se dégageant. Et dire que certains te trouvent vaguement séduisante, Eff'. Ça me laisse perplexe.

Ce n'est clairement pas ce crétin qui me donnera des réponses, alors je me tourne vers mes sœurs. Hope sautille sur place, rayonnante, tandis que Mercy a la mine la plus noire que je lui aie jamais vue.

— Quoi ? je les interroge. *Quoi* ??!

Cette frustration… D'habitude, c'est moi qui sais toujours tout sur tout.

— Nom d'un gloss ! j'explose. VOUS ALLEZ M'EX-PLIQUER POURQUOI MON TÉLÉPHONE A PRIS FEU, OUI ???

Toujours aussi radieuse, Hope ouvre un journal en grand. Elle le pose sur la table de la cuisine d'un geste théâtral. Puis elle fait de même avec un deuxième, puis un troisième, un quatrième. Partout, mon visage. Sauf que cette fois, je ne tire pas la tronche. Et je n'ai pas de mayo sur le menton.

J'ai l'air zen, et aucun pore visible, merci Photoshop et Grand-mère. Les titres :

LE RÔLE DE LA DÉCENNIE
POUR FAITH VALENTINE

LA BEAUTÉ GLACIALE AU FIRMAMENT

LA STARLETTE BRITANNIQUE COIFFE
LES AMÉRICAINES AU POTEAU

Je me fige, les yeux ronds comme des donuts.

— Trop forte ! pétarade Hope en me serrant dans ses bras. Tu as déchiré ta toute première audition. Effie, je suis grave fière, je vais exploiter. J'étais sûre que tu allais être une star et là c'est trop parti, quoi ! Dis, quand tu auras gagné l'oscar de la Meilleure Nouvelle Actrice, tu voudras bien tourner dans mon premier film ? *Steuplé* ? Je te promets que *les sandwichs seront à tomber*.

Petit coup d'œil à Mercy.

— Comme quoi, grince-t-elle, le talent ne compte plus aujourd'hui dans le cinéma.

— *Mercy*, intervient Max, une main protectrice sur mon épaule. Nom d'une licorne, tu ne pourrais pas cesser d'être un monstre deux minutes ? Trente secondes ? Et te réjouir pour ta sœurette ? Allez, juste une pause. Le temps qu'on se ressource tous.

— OK, gronde Mer', les yeux rivés sur la table. Bien joué, trop forte, c'est trop mérité et tout et tout.

J'ai la tête comme bourrée de chaussettes en cachemire.

— Je ne comprends pas, dis-je d'une voix confuse. Quel rôle ? Ils parlent de *Deux semaines d'horreur* ? M'enfin j'ai foiré l'audition. Ils l'ont dit eux-mêmes. Je les ai entendus.

— Tu as dû te tromper, jubile mon frère en me tendant son pot de confiture. Un petit remontant ?

Je saisis un journal et survole l'article.

La sublime Faith Valentine est en passe de décrocher le premier rôle du « plus gros carton ado de tous les temps » annoncé. « C'est énorme, nous confirme une source. *Deux semaines d'horreur* faisait déjà le buzz mais là ça devient stratosphérique. »

Fille de la célèbre Juliet Valentine et du réalisateur Michael Rivers...

J'accélère. On connaît tous mon pedigree, merci. Une petite minute...

« Elle possède un vrai talent, indique, ravi, son chéri Noah Anthony. Pourtant elle se trouve nulle ! Elle stresse de ne pas être à la hauteur. C'est fou, hein ? Sans compter qu'elle est belle à croquer. Ils ont de la chance de l'avoir. »

Quand ont-ils interviewé *Noah* ?

— Ton prince charmant remet ça, on dirait, persifle Mercy. Trop chou de sa part d'avoir un avis avant toi.

Je lui renvoie un regard assassin puis je sors mon téléphone et appuie sur APPELER. Je me détourne, un doigt dans mon oreille libre pour ne pas entendre les pichenettes que Max colle au front de Mercy.

— Persephone ? Oui, salut. Dis-moi, c'est vrai ? Ils m'offrent une seconde chance ?

Grrzz, crrr, grrzz.

— … oui.

Mon agent est plutôt pète-sec : avec elle, c'est toujours droit au but.

— Crr-crr… erreur de paperasse… crr-crr… dernières auditions… crr-crr… demain matin. Crr-crr, grrzz… détails.

Un bonheur, le réseau, dans cette cuisine.

Mon portable brandi, j'essaie de me caler entre le frigo et le mur pour mieux entendre Persephone.

— Yes, insiste Hope dans mon dos. Je vais filmer tous les gens que je vais croiser à la rentrée…

J'ai dû mal comprendre le directeur de casting. Je n'ai peut-être capté que trois mots et imaginé le reste à la sauce pessimiste ?

— Mais… Tu crois vraiment que j'ai…

— Ils ont envoyé… crr-crr… autre scène, explique Persephone. Hors-script… grrzz… temps de l'apprendre.

— En fait ce soir ça va être… (Je m'interromps à temps.) Oui, bien sûr, pas de problème.

— Tu ne vas quand même pas faire passer des auditions à des copines potentielles ! lance, hilare, Max à Po.

— Mais si, s'indigne notre cadette. Pour savoir si elles méritent un rôle dans le film de ma vie, banane.

Les rires redoublent.

— Je te souhaite bien du plaisir.

Je leur fais signe de se taire, et je m'enfonce encore entre le frigo et le mur.

— ... pas mal de demandes... crr-crr... interviews, continue Persephone, mais... grrzz... en exclu. (Sonneries téléphoniques derrière.) Donc... crr-crr... chez toi dans une demi-heure.

Panique totale.

— Pardon ? De quoi ?

— Selon les bouchons.

— Chez moi ? (Coup d'œil dans la cuisine : beurre de cacahuètes par terre.) Dans ma maison ? Ici même ?

— Exact. Pour te découvrir dans ton élément... grrzz. Faith Valentine intime.

J'en ai la gorge surnouée.

— Ah. Je...

— Faith, c'est un coup de pub inespéré... crr-crr... tu veux travailler dans le cinéma. Un portrait formel... grrzz... l'attention des gens qu'il faut. Sois toi-même, tout simplement, et le monde sera ton huître.

J'ouvre la bouche.

— Bon, je te laisse, conclut Persephone. J'ai Tom sur l'autre ligne, tu le connais... grrzz... plus !

Fin de l'appel.

12

*S*ois *toi-même, tout simplement.*

Comme si je n'avais pas un classeur entier de réponses rédigées par Grand-mère, qu'elle me fait répéter tous les mercredis depuis près d'un an.

Couleur préférée.

Plat préféré.

Film préféré.

Parfum de glace préféré.

Race de chien préférée.

Style musical préféré.

Saison préférée.

Être moi-même exige une mémoire folle et une concentration de dingue.

Coup d'œil à ma montre, en stress.

Pas le temps d'appeler Noah, alors je tape un SMS :

Ici c'est la folie, on se voit plus tard, ok ? Dis qd et où ?? xx

Trente secondes plus tard :

Ça marche, beauté ! 16 h Covent Garden. Trop hâte. Fou fou fou de toi xxx

Je souris, et j'expire.

Folle folle folle de toi xxx

Et je me remets à paniquer. Notre gouvernante Maggie s'est absentée une semaine pour profiter de son fils Ben qui lui rendait visite. Le résultat est... J'imagine déjà l'article.

Dans leur manoir glamour à plusieurs millions de livres, les Valentines macèrent dans leur crasse.

— Debout ! je lance à Max qui est vautré sur le canap', les mains derrière la tête et me regarde virevolter dans le salon. Debout, j'ai dit !

Il se braque, comme un chien agressif. Au prix d'un effort considérable, je couche mon asperge de frère par terre. Tache de spaghetti bolo séchée entre les coussins.

— Max, *pitié*. La journaliste va arriver d'une minute à l'autre ! Elle ne doit surtout pas nous voir comme ça !

— Et pourquoi ? se marre Max. On est peut-être célèbres, riches et canons, surtout moi, mais on reste des ados, on n'est pas à fond sur le ménage, calmos.

— Non, j'assène en sortant une baby carotte momifiée. Je refuse qu'on devienne des stars souillons, Max. En plus, Maman est toujours en haut. Ça te revient ? Tu tiens vraiment à ce que tout le monde sache dans quel état elle est en l'absence de Papa ? Qu'on est plus ou moins livrés à nous-mêmes ?

Court silence. Puis, il se lève d'un bond et tape des mains.

— Un point pour toi. Je m'en voudrais que les services sociaux vous envoient toutes les trois participer à Masterchef People ou autre. Je vais donc... aller... faire ce qu'on fait avec un aspirateur.

De son côté, Hope se balade dans la pièce, laisse traîner un doigt sur toutes les surfaces poussiéreuses.

— La journaliste ne vient pas pour moi, je sais, Eff', mais tu pourrais peut-être lui glisser un mot sur mes nouveaux projets ? En passant. Genre, « Ma Sœur, Hope, La Grande Réal ». Ou bien : « Ma Sœur, Qui Va Révolutionner Le... »

— Hope, je la coupe en la prenant par les épaules. Ma puce. Je t'adore et je promets que je parlerai de toi, mais tu veux bien aller fermer la cuisine à clé ?

— *Yavôle* ! sourit Hope. C'est de l'allemand, ça veut dire *j'y vole*.

Dès qu'elle a filé, je me retourne.

Mercy est à genoux ; sans rien dire, elle nettoie les taches de thé que Hope a faites hier. Mon cœur se serre encore. C'est sa façon à elle de s'excuser. Elle ne demande jamais pardon quand elle insulte mon copain ou dénigre mon talent, mon look, ou ma personnalité.

Par contre, elle veille à ne pas me réveiller si je dors à poings fermés. Et elle attaque les taches à la lingette.

Mer' m'adresse un regard aussi noir que ses sourcils.

Je lui fais un sourire reconnaissant. Puis je fonce dans ma chambre, j'envoie valser mon peignoir, j'enfile une robe droite prise au hasard dans le placard aux goodies, je défais mes cheveux, je me mords les lèvres et me pince les joues comme si je tournais *Autant en emporte le vent*.

Et j'arrive à la porte au moment où la sonnette retentit. La main sur la poignée, je marque une pause, j'avale ma salive.

Rappelle-toi, Faith. Tu es l'avenir des Valentines. C'est une course de relais entamée il y a cent ans, et c'est ton tour de prendre le témoin.

Surtout-ne-le-lâche-pas.

Je redresse mes épaules et j'ouvre la porte. La journaliste du jour, Rani Basu, a le regard déterminé derrière ses lunettes noires à monture épaisse. Elle porte un bob bleu-noir. Je la trouve sympa. Sérieuse. Mais le mieux, c'est que j'ai l'impression qu'elle sait écouter.

Je tiens peut-être ma chance. Adieu les citations de Noah, les extrapolations ou les photos « honnêtes » qui mentent. C'est mon interview, elle écrira ce que je vais dire. L'entraînement va porter ses fruits.

Pas trop tôt.

— Bonjour, je lance avec un sourire triomphal. Je suis Faith Valentine.

— … Ici, donc, c'est le hall d'entrée, j'explique avec un mouvement gracieux de la main. Là-bas, c'est la grande horloge que mon arrière-grand-mère Pauline a achetée en…

La porte de la cuisine s'entrouvre sur le visage anxieux de Hope. Je me décale derrière la journaliste et adresse un hochement de tête à Hope. Elle disparaît.

— … 1920, juste après avoir remporté le premier de ses nombreux oscars.

Je dirige en douceur Rani vers le salon. Grand-mère a bien spécifié l'ordre à suivre : elle m'a même fourni un plan.

— Ici, c'est le grand salon. Où la famille se réunit pour Noël, les anniversaires… (*les disputes épiques*) et autres fêtes.

— Je vois, approuve la journaliste en prenant des notes. Justement, je voulais t'en parler. Ta mère est sortie de cure il y a peu. Mais sauf erreur elle ne s'est pas montrée depuis… Est-elle toujours souffrante ? Et ton père, il est en Amérique, non ? Où en sont ces rumeurs de liaison et de divorce ?

J'affiche un large sourire.

— Maman se porte comme un charme. (*Mensonge numéro 1.*) Elle étudie plusieurs projets de films. (*Mensonge numéro 2.*) Il n'y a eu aucune liaison et il n'y aura pas de divorce… (*Mensonge numéro 3.*) Nous nageons dans le bonheur.

HahahahahaHAHAHAH.

La tête haute, je me dirige vers la pièce ciné, dont j'ouvre la porte.

— Notre famille étant une des dynasties ciné-matographiques les plus célèbres du monde... (*Ça, Grand-mère va adorer.*)... nous avons dédié une pièce entière à notre amour de la comédie avec notamment...

— Cela n'a pas dû être facile à vivre, insiste Rani. Je me trompe, où deux ans se sont écoulés depuis...

— Avec *notamment*, je répète avec force et un mou-vement de la main, ce home cinéma où nous aimons nous retrouver afin de découvrir les dernières œuvres...

Je referme la porte. Ce que je peux la détester, la pièce ciné. J'ouvre une nouvelle porte

— Ensuite nous avons la bibliothèque. Comme tous les artistes, nous raffolons des livres et...

OUAF OUAF AAAHOOOUAF !

— Vous avez... un chien ? s'étonne la journaliste en scrutant dans tous les sens. Je l'ignorais.

Moi aussi, tiens.

— Exact, j'embraie.

En réalité, c'est le signal d'alarme « secret » de Max. Depuis ses cinq ans.

— Deux chiens. Des huskies. Euh... (Coup d'œil derrière la journaliste.) Biscuit et... Bouquin. (*Super, comme nom de clébard, Eff.*) Mais... ils n'aiment pas trop se montrer, désolée.

Max est dans l'escalier.

Il aboie encore en levant le doigt. Traduction : *Maman est sortie de sa chambre.* Maman, une des femmes les plus célèbres de la planète, en chemise de nuit cradingue, les cheveux en pétard, le regard vide et sa nouvelle manie de beugler sur tout le monde au hasard, s'apprête à entrer en contact imprévu avec une représentante de la presse nationale.

— Ils n'aiment pas trop se montrer ? reprend Rani, pas super convaincue.

— Ah, je fais en la tournant dos à l'escalier. Oui. Un peu antisociaux, limite misanthropes. Oh ! il faut absolument que je vous montre…

Un bruit en haut de l'escalier.

Juliet Valentine, actrice oscarisée, star d'*Un cœur à deux*, a officiellement perdu la boule : la preuve en photo !

— Ma chambre ! je complète en mode desperado.

C'est grave contraire aux règles : Grand-mère dit toujours qu'il est *fort inconvenant* de conduire les journalistes dans nos appartements privés mais… que faire, sinon ? Le tour de la buanderie ?

— Venez voir, ce sera une exclu totale !

Maman apparaît alors, tellement fragile qu'elle doit se tenir à la rampe.

— Mes chéris, prononce-t-elle d'une voix de plume. Y a-t-il…

En panique, j'agrippe Rani par les épaules à l'instant où elle se tourne vers les marches et la pousse en sens inverse.

— Changement de programme : on va prendre l'*escalier secret* !

Et je l'exfiltre au plus vite.

13

Je referme tout doucement la porte de ma chambre et pousse un soupir de soulagement. Puis je fais semblant de tripoter la serrure le temps de me recomposer un sourire calme et serein.

Cette journaliste a bien failli voir notre cinglée de mère.

Je me retourne vers Rani et affiche un visage rayonnant.

— Bienvenue dans mon sanctuaire. Mon havre. Mon refuge. C'est ici que j'aime méditer sur les événements de la journée et… être moi-même, tout simplement.

La journaliste inspecte les lieux avant de s'asseoir devant ma coiffeuse.

— J'aime danser, je poursuis. Mes parents m'ont fait installer ce miroir et cette barre quand j'étais toute petite, et j'y travaille tous les matins. Ma fenêtre donne sur le jardin, je me réveille donc avec le chant des oiseaux. Ça m'aide vraiment à…

Mais elle n'écoute pas.

— Charmant. Alors… ce nouveau rôle ?

Je hoche la tête et me pose délicatement sur mon oreiller pour tenter de cacher les taches d'eye-liner laissées par Mercy.

— Ooooui.

— La série s'annonce comme une des plus chères de l'histoire. Un budget de plusieurs milliards. Que ressent-on à être pressentie pour un rôle si important ? Ton tout premier, je me trompe ?

Le regard perçant de cette journaliste me met soudain mal à l'aise. Je dois la jouer humble. Reconnaissante. Mais aussi sûre de moi. La fille qui sait ce qu'elle vaut. Mais qui ne se surévalue pas. L'équilibre parfait.

— En effet. Ce… serait ma première expérience, oui. J'adore. C'est le bonheur.

Je souffle. *Bien joué.*

— Et tu te prépares avec ta grand-mère, Lady Sylvia Valentine ?

Pas d'arrogance. Tout en reconnaissance.

— C'est ça.

Longue pause.

Et brusquement, j'ai l'impression de jouer à la bataille navale : une mauvaise réponse et… BOUM ! game over.

— Dis-moi, qu'est-ce qui t'attire dans la comédie ? m'interroge Rani, les sourcils froncés. Chez toi, certes, c'est une histoire de famille, mais justement, qu'est-ce qui te pousse à poursuivre dans cette voie ?

Je sais, je sais ! Mise en place de la fossette craquante.

— Le métier d'actrice me fascine depuis que je suis toute petite. Pouvoir incarner d'autres êtres, vivre d'autres vies, raconter des histoires… il y a comme… (Je fais semblant de chercher le bon mot.)… de la *magie*, là-dedans.

Silence.

— Je vois, commente Rani, sourcils froncés. Tu n'as que seize ans, Faith, pourtant je ne crois pas avoir consulté de médias sans t'y voir quelque part depuis un an. Quel effet cela fait-il ?

J'acquiesce, le visage aussi neutre que possible. *L'horreur.* Je regarde toujours mon intervieweuse dans les yeux, comme me l'a enseigné Grand-mère.

— On m'y a tellement bien préparée que c'est comme une seconde nature. Ma famille et mes amis me soutiennent énormément, il faut dire. Mon copain, Noah Anthony, tient une place énorme dans ma vie. Nous sommes très proches, un couple très fort, très solide, et nous avons la chance de vivre ensemble les débuts de la célébrité.

Rani prend des notes, je me détends un poil. *Voilà, imprimez donc ça, madame.*

Quelques détails pour lui souffler un titre.

— D'ailleurs, aujourd'hui nous fêtons notre premier anniversaire ! Noah a prévu une grande soirée romantique. C'est un cœur, il me fait ce genre de surprises très souvent.

Je suis en train de virer princesse exigeante, non ?

— Moi aussi je le chouchoute, bien sûr, je m'empresse d'ajouter. Notre relation est basée sur l'égalité. L'équilibre. La réciprocité. J'aime énormément Noah. Énormément. Il est tout pour moi.

Ouh là, Faith, tu vas trop loin. Oh pitié... ce n'est pas pour rien qu'on t'interdit d'improviser.

— Enfin, pas tout, je me reprends. Juste euh... il occupe une grande place. Genre, euh... la Russie. Ou la Chine.

Silence. Rani consulte ses notes, l'air impassible.

— Donc, *Vogue* t'a décrite comme une des plus belles femmes de la planète. Un *visage d'ange*, d'après un autre magazine. Ce niveau de beauté, est-ce un fardeau ou un privilège, à tes yeux ?

Je bloque. Elle croit quoi ? Que je me plante devant la glace tous les matins et me claque des *high five* ? Je suis comme je suis : un visage et un corps auxquels je ne prête pas plus attention que ça, sauf pour me gratter ou y mettre de la couleur.

Mais bon, c'est aussi une question piège. Soit je confirme publiquement que je me trouve belle, et il en est hors de question, soit je proteste et on va croire que je réclame d'autres compliments : mauvaise idée aussi.

Alors je me contente de sourire et de hausser des épaules.

— Je ne sais pas trop.

On reste un moment à se regarder dans les yeux.

— Noah Anthony a dit que tu ne te considères pas comme une bonne actrice. Que tu te trouves « nulle », ce sont ses mots. « Elle stresse de ne pas être à la hauteur. » Est-ce vrai ?

Oh pour l'amour de... Grand-mère va me *tuer*. Je me compose une mine entre affection et frustration légère : *les mecs, je te jure !*

— Ah ! ça..., je commente, puis j'éclate de rire. Dans une famille aussi talentueuse que la mienne, on se sent parfois toute petite.

Je loupe un truc, j'en suis sûre.

— Par exemple, ma sœur Hope, j'ajoute très vite. Elle veut devenir réalisatrice, comme notre père. Attention les yeux !

Rani ne note pas. *Désolée, Hope.* La journaliste se cale contre le dossier de sa chaise, m'observe attentivement.

— Mais... Qu'est-ce qui définit ton originalité ? Nos lecteurs aimeraient comprendre.

— Eh bien... Mon plat préféré, c'est les sushis, mon parfum de glace préféré le caramel au beurre salé, ma saison préférée l'été, ma couleur préférée le...

— Ce n'est pas ce que je te demande, me coupe-t-elle.

Ma gorge se noue derrière mon sourire serein.

Cette femme que je connais depuis dix-neuf minutes chrono se penche vers moi, elle envahit mon espace personnel, et je regrette grave de l'avoir emmenée dans ma chambre. Là où je *dors*.

— Ma question est, qui est la *vraie* Faith, reformule Rani. Loin des projecteurs, des unes de journaux, des tapis rouges, des conseils smoothies et des selfies ? Qui est Faith Valentine ?

Une vague de fureur déferle en moi. L'espace d'une seconde, j'ai envie de mettre un coup de boule à cette journaliste.

Comment ose-t-elle me demander ça ?

Mais bon, je me contente d'une fossette.

— Oh, je fais en me mordant la joue au sang. Je suis quelqu'un de tout à fait normal, je crois.

14

Comment appelle-t-on un gaz froid en Espagne ?

Un gazpacho.

Bingo.

Sitôt la journaliste partie, je regagne ma chambre et passe en revue mes réponses : ce qu'on peut en tirer, en déduire, comment les interpréter.

Je suis quasi sûre de n'avoir pas dit de grosse bêtise, commis de faux pas, ni sorti de merveilles non plus. Ni trop chaud, ni trop froid. Et je n'ai pas agressé cette bonne femme, donc les mercredis avec Grand-mère n'auront pas été inutiles, finalement.

Par contre, mon parfum de glace préféré, c'est menthe et pépites de choco. Et ma saison préférée, l'automne.

Je dis ça, je dis rien.

Il me reste maintenant moins de deux heures pour apprendre le script pour l'audition de demain, finir de personnaliser mon cadeau d'anniv' pour Noah, me doucher, me maquiller, m'habiller et traverser Londres.

Genevieve, toujours au taquet, m'a envoyé pour mon troisième post du jour une photo de Noah et moi à Paris, à Noël. Sous les lumières des Champs-Élysées, joue contre joue, sourires béats. Les gouttes de morve congelées supprimées à l'ordi.

Elle a noté une légende que j'ignore et remplace par une de mon cru.

Et ENVOYER :

Joyeux anniversaire ! Un an de folie avec mon cher & tendre. Que d'aventures ! Hâte de passer le prochain avec toi xxxx

En quelques secondes, les cœurs se déchaînent.

Oh. C'est. Trop. Chou !!

Couple 2 rev !

Je vous adore mais TROP. FAINOAH POUR LA VIIIIE !

Une photo s'affiche sur mon compte. Noah et moi sur un tapis VIP bleu, bras dessus bras dessous. Peau impeccable, teint brillant, moi la tête appuyée délicatement sur son épaulette. C'est plus fort que moi, je me demande si c'est aussi son assistant qui la lui a fournie.

Un an aujourd'hui avec ma beauté. Je suis le mec le plus chanceux du monde. Je t'aime trop trop trop. Xxx

J'appuie sur le bouton cœur.

Ooooh. Trochoupinou !

Vous 2 alors. Félicitzz !!!!

Des cœurs plein partout les amours !

Cette photo a été prise à l'avant-première de *Au sommet*, le dernier blockbuster à l'eau de rose de Maman. Noah s'est endormi au bout de cinq minutes et ne s'est réveillé que quand je lui ai mis un coup de coude pendant le générique de fin.

Et ça me rappelle…

Un soupir et j'imprime la pièce jointe du message de Persephone. Je lutte contre la panique à mesure que les pages défilent : *une, deux, trois, quatre, cinq, six, sept, huit… c'est* Guerre et paix*, ou bien ?*

Puis je scotche les onze (!) pages de ma nouvelle scène aux carreaux de ma chambre et tente de me faire un gommage, me raser les jambes, me faire un masque, m'après-shampouiner, me sécher les cheveux, me mettre de la base, du fond de teint, de l'auto-bronzant, de l'highlighter, de l'eye-liner, du mascara, de l'ombre à paupières, du gel à paupières… tout en lisant des répliques du genre :

— On passe par où ? Je suis sûre que la carte disait à droite…

Ou :

— Comment ça, *mon destin* ?

Ou encore :

— Non ! Arrête la voiture ! C'est de la folie ! .

Au moins mon personnage a l'air perdu et dépassé. Ça, je devrais pouvoir l'exprimer.

Et enfin, toute récurée et pimpante, j'enfile la robe (hyper) longue Valentino, moulante, pailletée, blanc irisé, que Noah m'a envoyée l'autre jour. J'ai ensuite toutes les peines du monde à me pencher pour terminer son cadeau. Un an, normalement, c'est *papier*. Alors je nous ai réservé un billet en première pour New York, pour après sa tournée. Sauf que, je m'en rends compte, offrir une enveloppe à mon chéri, c'est un peu… impersonnel. Du coup je dessine des cœurs dessus.

Cœur. Cœur. Cœur.

— Non ! je murmure en dessinant. (Cœur.) Arrête la voiture ! *Non*, arrête la *voiture* ? (Cœur.) *C'est de la FOLIE*. Non. (Cœur.) ARRÊTE LA V…

Ding.

Petit retard, mettons 16:20 !! Xxx

Ça me laisse le temps de voir comment réussir à faire pipi sans avoir à ôter cette robe.

OK ! A+ ! T'as prévu quoi ?! Trop hâte ! Xxx

Ha ha. Surprise ! :) xx

Un dernier cœur et je fourre l'enveloppe dans mon sac. Puis je sors coller le Post-it avec la blague du gazpacho sur le mur de l'autre chambre. Et je descends l'escalier à un rythme de limace.

— *Waaaaa...*

Hope est assise sur le palier, près de la fenêtre. Elle a tellement hâte de démarrer sa vie glamour à seize ans. J'en ai mal pour elle. Même si, quelque part, j'échangerais bien ma place contre la sienne.

— Joyeux anniversaire ! Tu as l'air *exquise*, Eff.

— Merci, je lui souris en tournant sur moi-même, les bras écartés. C'est fou le résultat qu'on obtient avec une robe à vingt mille livres et une culotte taille haute ultra gainante, hein ? J'ai l'impression d'être une poupée toute rigide et fragile. Ou une saucisse. Et ça me gratte partout.

— Tu devrais porter des beaux habits plus souvent, me conseille ma sœur.

Rêveuse, elle descend les marches comme un écureuil et je la suis comme je peux. Mal.

Dans le placard aux goodies, je prends une veste Gucci en velours bordeaux et une paire de talons Prada.

— Noah va être soufflé, assure Hope. C'est trop beau, l'amour façon vieille voiture.

Je me fige, un pied en l'air.

— Pardon ?

— Tu te rappelles pas ? L'autre jour tu disais que ton amour pour Noah était comme un vieux tacot. Qu'il fallait savoir l'entretenir, tout ça. Sur le coup, j'avais pas compris, mais là je crois que ça vient.

Je bats des cils. *L'amour façon vieux tacot ?* C'est comme ça que je vois Noah ? Un tas de ferraille rouillée ?

Romantisme, quand tu nous tiens. Je claque un gros bisou sur la joue de Hope.

— Hmm. Ma puce, ça ne te dérange pas de rester seule ce soir, tu es sûre ?

— Grave pas. Ben doit passer, on va mater des films. Il va avoir droit à trois séances de chaque. D'abord juste le film, ensuite le film avec les commentaires du réal, et après avec les miens. Oh ! et quand on parle du clou, le voilà justement, ton amoureux de triangle pas si secret.

Elle fait bouger ses sourcils avec un regard hyper appuyé derrière moi.

J'ai comme l'impression qu'elle a tout manigancé, la petite Cupidon.

— Tu m'en diras tant, je réplique avec un regard ironique. (*Bien essayé, sœurette, mais c'est raté.*) Oh zut ! Il faut que j'y aille ! Amuse-toi bien !

Et je m'engouffre, tout en paillettes, dans la limo qui m'attend.

15

Mon royaume pour un legging et un sweat à
capuche XL.

Les paillettes blanches hurlent *regardez-moi*. Autant
mettre un costume de poulet jaune fluo et agiter une
pancarte. Pas moins de quinze touristes s'arrêtent pour

me prendre en photo. J'ai l'air d'une patineuse artistique qui va se marier.

C'était trognon de la part de Noah de m'envoyer une tenue spéciale, mais je serais plus heureuse en pyjama-chaussettes sales.

Épuisée, je me cache derrière une colonne et je textote :

Hé, bébé ! Suis là ! T où ? x

En attendant sa réponse, je surfe sur la Toile. En croisant les doigts pour que la journaliste de ce matin ait déjà posté son article. Si ça se trouve…

Faith Valentine est une jeune fille très normale et gentille, dingue amoureuse de son copain. Un cauchemar, elle ? Et puis quoi, encore !

Ou bien :

C'est fou ce que Faith Valentine peut ne pas être une diva !

Je signerais même pour :

ALERTE INFO ! Faith Valentine N'EST PAS UN MONSTRE !!

Hélas ! le seul article qui me concerne est celui du blogueur du parc.

C'est sympa de sa part. Enfin… façon de parler. En vrai, c'est plutôt flippant et envahissant, mais j'espère que Persephone ne me fera pas suivre son invitation romantico-glacée. En plus, je commence à me demander si ses lecteurs ne se résument pas au seul Kevin.

Ding.

Retard ! Entre, je te rejoins ! Dsl ! xx

100 % Noah.

Entrer où ? Tu ne m'as pas dit où on allait ! :) x

Oups ! Désolé !! Ballet ! Celui sur les canards !! xx

Déferlante de bonheur qui me dresse sur les orteils. Vieux tacot *de mon cœur.*

Le lac des cygnes ?!!!! Tu me fais marcher !! C'est mon préféré ! xx

Je C ! J'arrive ! À toute plus ! Bisous ! x

Le cœur en fête, je lève la tête. Le Royal Opera House est au coin de la rue, je m'y dirige d'un pas de tortue couverte de démangeaisons, les reins comprimés, folle de joie.

Arrivée devant l'immense bâtiment blanc, nouveau délire.

Oh, Noah.

J'adore ce ballet depuis que Maman m'a emmenée le voir quand j'avais quatre ans. C'est celui-là qui m'a fait aimer la danse. Le plus beau cadeau du monde.

Je récupère mon billet dans le hall doré. Autour de moi, tout le monde est en jean et devinez qui scintille dans ses paillettes blanches ? Je monte attendre à l'étage.

Noah nous a réservé une *loge*. Une loge pour six. Pile devant la scène. *Waouh.*

Et c'est à ce moment-là seulement que je capte : tant que Noah n'arrive pas, je suis seule.

Seule, dans la loge la plus visible de cet opéra. Dans une cage dorée, au milieu d'un million de paillettes qui font de moi une boule disco.

Ohé, tout le monde ! C'est moi ! Faith Valentine !

Ça ne loupe pas, des visages curieux se tournent déjà vers moi. J'entends des murmures, des gloussements, je repère des flashs. Je me fais toute petite, je ne bouge plus.

Mon téléphone vibre.

Bouchon DE FOLIE. Serai super discret, promis ! Désolé ! Bisous ! xx

Je me mords la lèvre.

Tkt ! Pas grave ! xx

Dans la foulée, re-vibration.

Aloooors, la grande soirée romantique ? x

Mercy doit culpabiliser à mort pour ce matin. Elle ne signe jamais d'un baiser. C'est aussi le seul indice que son SMS n'est pas entièrement ironique.
Je réponds :

La folie ! On mate Le lac des cygnes !! :) x

Puis je corrige la fin.

La folie ! N m'a emmenée voir Le lac des cygnes !! :) x

Non.

La folie ! N a acheté des billets pour Le lac des cygnes !! :) x

Précision factuelle. ENVOYER. Cinq secondes plus tard.

Il est pas là, hein

Vous savez quoi ? Le fameux lien entre sœurs, qui nous permet de voir clair l'une en l'autre, de deviner nos pensées, de se comprendre sans parler.
Perso je le trouve pourri.

Pas encore mais il arrive !! X

Tu m'étonnes. Quel tocard.

Noah est pris dans les bouchons, ça ne fait pas de lui un tocard, Mer'. Il va arriver.

Trop naïve. Viendra pas. Garanti. Tu sais qu'il déteste le ballet. Trop la BARBE.

L'œil noir, je fourre mon téléphone dans mon sac. *Va te faire, Merluche.*
Et je me recompose fissa un visage lumineux. Un regard immense et reconnaissant qui dit : *J'adore le ballet, j'adore mon chéri et je vous jure qu'il sera là D'UNE MINUTE À L'AUTRE.*
Pas envie d'apparaître dans les journaux demain en train de mater les ballerines avec une tronche de trois pieds de long.

Faith Valentine la looseuse
ELLE DÉTESTE LES FEMMES
ET LE BONHEUR

L'éclairage se tamise jusqu'à ce que seule la lueur rosée des bougies éclaire la salle, et je me détends enfin. Les musiciens s'installent. Le chef d'orchestre salue, baguette brandie. Des notes douces et mélancoliques emplissent l'air, je me penche en avant, gourmande.
L'ombre se fait, le rideau s'ouvre.

16

Alors déjà : le ballet, ce n'est pas *la barbe*.

C'est un mélange de puissance et de grâce, le tout mis en musique. Le prince Siegfried entre en scène. Il saute et tourbillonne tandis que les courtisans et invités aux tenues chamarrées virevoltent autour de lui. De la magie pure.

Bon, je veux bien reconnaître que les danseurs passent le plus clair de leur temps à faire la fête, dans *Le lac des cygnes*.

Mon portable s'éclaire.

Presque arrivé ! Les canards, ça va ? x

Je souris. *Qu'est-ce qu'on dit, Mercy ?*

On ne les voit pas dans la première demi-heure ! Tu as le temps ! Le prince se cherche encore

une épouse pendant le bal. Suis pessimiste pour lui. LOL x

C'est comme dans tous les contes de fées, alors ? x

Voilà. C'est La petite sirène mais avec des ailes x

Cool ! xx

Soulagée, je jette un coup d'œil dans la salle. Et croise des regards noirs. *La starlette irrespectueuse qui se croit au-dessus des règles, tout ça tout ça.*

Je rougis, range mon téléphone et me reconcentre sur la scène. La première demi-heure passée, l'orchestre conclut par un crescendo et le rideau se referme : fin de la fiesta.

Silence. Noir. Coup d'œil discret à mon portable. Rien.

Quand la musique repart, délicate, plus expressive, le rideau s'ouvre sur un lac. Brume bleutée avec à l'arrière-plan un joli décor de montagne. Des nuages épais roulent par terre.

L'éclairage se tamise et deux rangées de cygnes sortent de derrière les rideaux. Ils vont former un cercle en mouvements gracieux. Les bras au-dessus de la tête pour évoquer des cous, ils évoluent dans une symétrie parfaite.

Et la voilà : Odette, le cygne blanc. Une belle princesse condamnée à vivre en cygne le jour, et ne pouvoir apparaître sous sa forme humaine que la nuit. Quand elle entre en scène, la salle pousse un soupir de soulagement.

Enfin.

Comme toujours, elle porte un tutu blanc, des ballerines blanches et une coiffe de plumes blanches. Par des mouvements tout en nuances, elle parvient à évoquer un volatile : bruissement de plumes, long cou sublime.

Lentement, Odette pivote sur une pointe de pied dans la lueur bleu pâle, et moi je serre les bras autour de mon ventre.

Mon téléphone vibre :

Alors ?? Mec en vue ?

Grimace de frustration.

Il arrive.

Bien sûr.

Purée, Mer', suis au ballet. Laisse-moi profiter !

Je te rends service. Tu fais trop mémère, Eff'. Comment va le prince dans son COLLANT VIRIL ?? LOL.

Je relève les yeux : Siegfried danse avec Odette. Enlacés, amoureux, captivés. Il n'y a rien de « mémère » là-dedans. C'est grave sexy.

Sale obsédée des collants. Lui aussi c'est un tocard ?

Sais pas. Jamais vu la fin. ZZZZZZZZZZ.

Je pianote une réplique cinglante quand la musique claironne, les lumières se rallument et je me rends compte que j'ai passé la première moitié de mon cadeau à envoyer des textos.
Merci, Mercy.
Sous moi, la salle bourdonne et ça me démange de me joindre à la foule. Aller aux toilettes, m'offrir une glace, voire un tee-shirt cygne ou un programme et m'extasier avec les gens.
Sauf que…
Faith Valentine ! Oh le kiff ! Trop cool ! Je peux te prendre en photo ? T'inquiète j'attends ici je BOUGE pas je te laisse faire pipi. Relax, j'écouterai pas !
Je vais peut-être me retenir, finalement.
Ding.

J'arrive ! Les canards ? x

Légère irritation. *Ça fait plus d'une heure que tu « arrives », Noah. Et arrête de les appeler des canards, c'était marrant la première fois, là, déjà moins.*

En place ! Là c l'entracte ! x

Super ! J'espère que tu t'éclates ! xx

Coup d'œil circulaire à la salle animée, puis à ma loge solitaire.

À mort ! Merci ! x

La fin de l'entracte sonne, les spectateurs regagnent leurs places. Je n'arrête pas de mater le rideau de notre loge. Noah sera là d'une seconde à l'autre et je pourrai me détendre (le dos, ultra raide, et le visage, en mode *Oh mais c'est merveilleux !*), profiter du ballet sans avoir à supporter les regards compatissants.

FAITH V – TROP-TROP CHIC ET ENCORE SEULE !

Les lumières se tamisent enfin, Dieu merci. Nouveau bal mais avec une invitée surprise cette fois : le cygne noir. Identique à Odette mais (surprise !) tout de noir vêtue. Le cygne blanc était douceur et tendresse, le cygne noir est vivacité et fougue. Elle envoûte le prince dans une série de rondes étourdissantes. Il décide de l'épouser.

Un vrai cygne blanc est projeté sur le fond de la scène, en train de battre ses ailes dépitées contre une vitre teintée. La malédiction est accomplie, la fin approche, préparez les mouchoirs, ça va *chouiner*.

Brrrrr.

Alors ?

Je relève les yeux, une boule dans la gorge. Retour au lac. Les cygnes occupent la scène, Odette interprète son solo éblouissant et tragique : la mort du cygne.

Noah n'arrive pas. Il n'est même pas en route et je crois que je m'en doutais depuis le début. Mon cadeau d'anniv', c'est de regarder seule un cygne se noyer.

La ferme, Mercy.

Sur scène, la brume se lève et Siegfried disparaît pour toujours avec la princesse dans le lac bleu. *The End.*

Je ravale mes larmes, ma salive et je plonge la main dans mon sac. Je coupe mon téléphone. Puis je me penche par-dessus le bord de la loge et j'applaudis de toutes mes forces.

Joyeux anniversaire de couple, Effie.

Je suis presque sortie quand je l'aperçois. Dans le hall, costume noir, un énorme bouquet de fleurs blanches à la main.

Le chauffeur de Noah me fait une ample révérence.

— Faith Valentine ? Voulez-vous me suivre ?

Pleure pas, pleure pas, pleure pas…

Mon cœur tambourine.

Noah aurait-il vu plus grand dans la romance ? *Le lac des cygnes* n'a-t-il été qu'un charmant amuse-gueule pour me faire patienter le temps qu'il prépare le plat principal ?

J'hallucine de m'être laissé embobiner par Mercy.

Très vite, je sèche mes larmes et me redresse. Une Valentine ne s'écroule pas en vagissant de soulagement dans le hall d'un Opéra.

— M. Anthony a prévu quelque chose de très spécial pour vous, enchaîne le chauffeur à qui j'adresse un sourire prudent. Vous êtes une jeune femme très, très chanceuse.

Puis il me noue un foulard noir sur les yeux en guise de bandeau.

— Où allons-nous ? je m'esclaffe. Ce bandeau est-il bien nécessaire ?

— J'ai reçu des instructions. Navré, mademoiselle. Attention.

On me conduit vers ce qui doit être la banquette arrière d'une limousine.

Le moteur démarre et nous roulons en silence tandis que j'essaie de deviner où on va. Restaurant privatisé ? Galerie d'art sélecte ? Yacht ? Ça pourrait être n'importe où !

Avec Noah, on ne s'est pratiquement pas vus, ces derniers jours. Je parie qu'il m'emmène quelque part où on sera seuls. Un cadre idyllique. Une heure plus tard, je jubile carrément. Avec tout ce que raconte la presse, on a vraiment besoin de se retrouver.

La limo finit par s'arrêter. On m'aide à descendre puis à monter quatre ou cinq hautes marches.

Une porte s'ouvre dans un déclic, je capte un bruit : discret d'abord mais ça augmente à mesure qu'on approche. Un grondement, un rugissement, une clameur et bientôt une véritable muraille sonore. Des avions ? Un Jet privé prêt à décoller ? Sauf que ça ressemble à...

Des cris ?

Je porte les mains à mon bandeau.

— Plus que quelques secondes, m'encourage le chauffeur en retenant mon geste. Je vais vous dire, ma fille *tuerait* pour être à votre place.

Sur ce, on me pousse vers l'avant. Changement d'atmosphère. Chaleur, moiteur et légère… puanteur. Ça crie si fort que ma robe vibre littéralement. Impression que le monde entier va exploser. Que quelqu'un a tapé sur le rebord, que la vibration est trop forte et que la planète va se briser comme du verre. Et tout à coup, silence.

D'un geste délicat, on m'ôte mon bandeau.

Je bats des cils. Me voilà près d'entrer sur une gigantesque scène, à moitié dissimulée par le rideau. Noah est sous les projecteurs, sa guitare préférée en bandoulière. Des pétales par terre, des lumières roses partout, et au milieu de tout ça, mon sublime chéri vêtu d'une chemise blanche éclatante et d'un jean haute couture.

Il se tourne vers moi, me sourit.

Mes yeux s'embuent. Mon cœur s'illumine et part en vrille.

Je rends son sourire à Noah : *Salut, toi.*

Puis il se retourne vers le public, une main tendue comme un chef d'orchestre.

— FAITH ! scande la foule dans un vacarme strident. FAITH ! FAITH ! FAITH ! FAITH ! FAITH ! FAITH ! FAITH ! FAITH ! FAITH ! FAITH ! FAITH ! FAITH !

Toute lumière me quitte brusquement.

Non. Non. Non…

— Qu… qu…, je bredouille.

Mais deux mains puissantes se plaquent sur mes épaules, on me pousse sur la scène, sous les projecteurs.

— Pitié, non… je ne veux pas…

— ET LA VOICI ! annonce Noah en me tendant la main. LA PLUS JOLIE FILLE DU MONDE ! FAITES UN ACCUEIL DE MALADE À CELLE QUI M'INSPIRE, MON ÂME SŒUR ET L'AMOUR DE MA VIE, FAITH VALENTINE !

Peux plus respirer. D'instinct, je fais demi-tour mais pas moyen de fuir dans cette fichue robe.

Les cris redoublent d'intensité, un orchestre se met à jouer, une enseigne au néon marquée FAITH VALENTINE s'allume et on me pousse pousse pousse pousse pousse avec des encouragements :

— Vas-y, ma belle ! Fais pas ta timide ! Éclate-toi comme une bête.

Je me retourne, le dos raide.

Quatre-vingt-dix mille personnes beuglent.

90 000.

Neuf et quatre zéros derrière.

— OK ! tente de s'imposer Noah. OK, PUBLIC ! DEUX SECONDES ! J'AI UN TRUC À DIRE ! APPROCHE, BÉBÉ ! VAS-Y, VIENS !

Dans un océan de hurlements, mon chéri me prend par la main, m'attire à lui et me fait tournoyer comme un trophée. Puis il m'assoit sur une espèce de trône.

Je tremble de la tête aux pieds, comme un verre sur le point de se briser, là encore.

Noah se retourne vers le public. D'une main, il impose le silence.

— AUJOURD'HUI ! AUJOURD'HUI ON FÊTE NOS UN AN ! UN AN QUE J'AI RENCONTRÉ CETTE DÉESSE DANS UNE AFTER ! PAS VRAI, EFF' ?

Il m'interroge du regard. Radieux. Perso, je tremble toujours mais réussis à déglutir et acquiescer.

— SÉRIEUX ! enchaîne Noah. CE CANON ÉTAIT ACCROUPI PAR TERRE, EN TRAIN DE FAIRE LE MÉNAGE AVEC LES SERVEURS ! COMMENT NE PAS CRAQUER ?

J'ouvre la bouche. Il m'enlace d'un bras.

— ET C'EST À CET INSTANT PRÉCIS QUE J'AI SU. J'AI SU QUE CETTE FILLE ÉTAIT CE QUE JE RECHERCHAIS DEPUIS TOUJOURS. VOUS SAVEZ TOUS QU'ELLE M'A INSPIRÉ MON TUBE « JE T'ATTENDAIS », MAIS CE SOIR J'AI ENVIE DE LUI JOUER QUELQUE CHOSE DE SPÉCIAL.

Un léger mouvement de la tête, et la foule rugit :

— ON T'AIME, NOAH, TU ES TROP ROMAN-TIQUE, NOAH !

Mon chéri me baise la main puis empoigne sa gui-tare et envoie un sol mineur.

Mon ventre se noue. Noah me sourit, puis il sourit au public.

— CETTE CHANSON S'APPELLE « FAITH ». C'EST LE PREMIER SINGLE DE MON NOUVEL

ALBUM, *DÉCOLLAGE*! IL SORT DEMAIN! JE VOUS LE RAPPELLE!

Ma bouche s'ouvre…

— Mmmmmm, fredonne très sérieusement Noah dans son micro. Ooooh. Dou-dou-dou. Mmmmm. (Un accord.) Tes sourires me passionnent / Tes fous rires me frissonnent / Tes soupirs m'emprisonnent / Rendez-vous à Lisbonne…

Et c'est parti.

Le rêve ultime.

Le grand geste romantique.

Le moment dont je me souviendrai jusqu'à mon dernier jour.

Je suis sur une scène gigantesque, dans une robe à paillettes hors de prix, mon sublime et célèbre chéri me chante la sérénade, la foule hurle mon nom, la fille la plus chanceuse et la plus aimée du monde.

Alors pourquoi cette envie de prendre mes jambes à mon cou ? Qu'est-ce qui cloche chez moi ?

— Mmmmmmm… Sans toi j'ai tout perdu / Sans ça moi je suis tout nu / Sans un doute tu m'as plu…

Mes narines frémissent. Noah a encore surfé sur le site du dico des rimes. Je baisse la tête pour qu'il ne s'aperçoive pas que j'ai envie de rire.

— … Oh bébé je suis foutuuu.

Des faisceaux lumineux balaient le stade, clignotent telles des étoiles techno.

Prends du plaisir, Faith. Je t'en supplie, sois normale et profite. Profite profite profite profite profite profite profite profite…

Une jeune violoniste sort de l'ombre, marche vers l'avant-scène, ses cheveux blonds brillent. D'un geste ample, elle se met à jouer. Noah se tourne vers moi. C'est sûrement le refrain.

— FAITH-FAITH... TOUT CE QUE TU ME FAIS-FAIS.

Je ne sais où regarder.

— FAITH-FAITH... ÇA ME FAIT DE L'EFFET-FET.

Arrivée d'un piano à queue. Noah sourit, passe sa guitare à un roadie puis s'installe au clavier.

— À nos larmes, à nos joies / Gros cœur avec les doigts / Dans mon âme tout est toi / Rendez-vous à...

Doha.

— Bahia.

Une gouttelette jaillit de mon nez, j'hésite entre le rire et les larmes. C'est trop chou, trop spécial, trop énorme.

Mais moi, tout ce que je voulais, c'est que Noah soit à l'heure au rendez-vous ; pas qu'il me dise « j'arrive » alors qu'il n'était même pas en route. Qu'il assiste à un ballet barbant avec moi juste une fois parce qu'il sait que j'adore *Le lac des cygnes.*

Au lieu de ça, je souris de toutes mes forces, une main sur la poitrine, les yeux brillants. Oui, pour ça aussi, j'arrive à me forcer.

Le bonheur, mesdames-messieurs. Le bonheur.

Et Noah qui chante toujours, couplet *marelle/cocktail/dentelle/si belle*, refrain, puis il tient une longue note aiguë et enfin s'arrête, essoufflé.

J'ouvre la bouche.

— FAITH VALENTINE, TOUT LE MONDE, ON L'APPLAUDIT BIEN FORT ! crie-t-il en bondissant de son tabouret.

Il m'arrache à mon « trône », me fait tournoyer dans un nouveau tourbillon de paillettes. Ma robe/cadeau prend soudain tout son sens.

— JE T'ADORE, BÉBÉ ! JOYEUX PREMIER ANNIV' À NOUS !

Il me renverse en arrière, m'embrasse.

Là-dessus, explosion de paillettes argentées et de pétales de roses dans tous les sens. Y compris dans ma face. La foule en folie.

J'ouvre encore la bouche…

— Et voilà, bébé, ça, c'est fait, me chuchote à l'oreille mon chéri en me redressant. Tu restes pour l'after, hein ? Ça va déchirer.

On me reconduit en coulisse.

18

APPELEZ-LE ROMÉO

Hier soir, Noah Anthony a offert au public de Wembley conquis la primeur de son nouveau single « Faith ». Un titre dédié à sa petite amie, Faith Valentine. Le bourreau de nos cœurs a chanté son hit à sa belle qui est restée stoïque jusqu'au bout, dans sa sublime robe Valentino (voir photo ci-contre).

Je me réveille seule.

Honnêtement, j'aurais parié que Mercy déboulerait à 5 heures du mat' pour se payer ma tronche : une vidéo YouTube du concert d'hier soir fait le buzz et ma sœur pourrait tourner en boucle des heures rien qu'avec *À nos larmes, à nos joies*. Sauf que non, je suis bien seule.

Je mate le plafond quelques instants. Hier soir, c'était…

Je roule sur moi-même, récupère mon portable et envoie à Noah son SMS matinal :

Hello-hello ! Hier soir c'était JUSTE TROP. Merci pour cette soirée fabuleuse, dsl de n'avoir pas pu rester, j'ai ADORÉ !
À ce soir pour TON cadeau !
Eff' xx

Mon enveloppe avec des cœurs ne va plus le faire. Jay-Z a offert à Beyoncé une île à vingt millions de dollars au large de la Floride ; j'en trouverai peut-être une plus abordable au large de l'Écosse ?

J'enfile la tenue recommandée par Grand-mère pour l'audition ; je poste la photo du concert que Genevieve m'a envoyée hier soir avec « légende à copier-coller » (*Trop de la chance d'être ta copine !!! ♥ ♥*) ; puis je vais chercher les journaux à la porte. Enfin, je remonte et m'approche de la chambre de Mer' sur la pointe des pieds.

Ma sœur dort dans son lit pour la première fois depuis des mois. Sur le dos. Bras le long du corps. Visage immobile. Couette calée sous les aisselles. Vision à la fois flippante et touchante : genre un vampire à l'hosto.

Je résiste à l'envie de vérifier sous son lit qu'il n'y a pas un cadavre vidé de son sang. Au lieu de ça, je dépose un grand article à côté de sa tête, histoire qu'elle découvre tout le romantisme de Noah au réveil.

Dans ta face, Mercy Valentine.

Ensuite, je passe la tête dans la chambre de Hope, mais je me rappelle qu'elle avait prévu une sortie matinale avec la mystérieuse Roz : shopping fournitures scolaires.

Alors je redescends dans mes escarpins d'audition et bâille à m'en décrocher la mâchoire. J'ai bien essayé d'attendre Noah à la fin du concert, mais avec tous les paparazzis et les fans qui prenaient d'assaut la scène j'ai préféré rentrer en douce et apprendre mon texte.

Pas super *sorcier*… à condition de savoir se comporter comme un être humain normal. Sauf que, à en juger par ma performance d'hier soir, c'est au-dessus de mes forces. Je murmure les répliques en cherchant sur le Net des étoiles que je pourrais acheter et baptiser Noah.

— Non ! Arrête la voiture ! C'est de la *folie*.

Deux hectares sur la Lune ? C'est romantique, ça ?

— Je me *fiche* qu'on soit en pleine cambrousse…

Tiens, c'est vrai, à qui elle appartient, d'abord, la Lune ?

On sonne à la porte.

— Je me *fiche* qu'on soit en pleine cambrousse, je répète encore en allant ouvrir. Laisse-moi partir. J'ai un mauvais pressentiment…

Petit signe de tête de Genevieve. Grand-mère a un tournage dans le Devon, une simple apparition qui lui vaudra sans doute un énième oscar, mais elle tient à s'assurer que j'arrive à l'heure à mon audition, et si possible sans avoir à me frotter partout avec des bougies parfumées.

— Bonjour-bonjour !

Je m'efforce de positiver.

— Où vas-tu, ma chérie ? Un truc sympa ?

Je pivote sur mes talons, le souffle coupé.

Ma mère se tient au pied de l'escalier ; pantalon bleu pâle, chemisier en soie bleu marine, chignon. Elle a les traits tirés, ses pieds nus sont squelettiques, mais au moins elle s'est habillée et elle est descendue.

J'ai comme l'impression d'apercevoir une sirène, le monstre du Loch Ness ou la petite souris.

Coup d'œil à Genevieve pour m'assurer qu'elle voit ce que je vois. Elle acquiesce d'un mouvement de tête subtil.

— Maman ! (Sourire figé.) Comment ça va ? Tu m'as l'air… (*épuisée, vidée, privée de toute force vitale*)… d'une beauté radieuse, comme toujours !

Son regard gris, d'habitude lumineux, se promène tout terne dans l'entrée, comme s'il était sur des rails.

— Oh, fait ma mère sans m'écouter. Tu es un amour, ma chérie.

Elle fronce les sourcils en avisant la liasse que je fourre dans mon sac.

— Des scripts, ma belle ? Pour moi ? J'ai pourtant bien spécifié à Persephone de ne rien accepter pour le moment. *Au sommet* cartonne au box-office, rien ne…

— Hum, je toussote. En fait… ils sont pour moi.

Son regard froid s'arrête un quart de seconde sur Genevieve, comme si elle venait à peine de remarquer sa présence.

— Pour toi ? Mais comment donc ?

Je sens mes joues qui s'embrasent.

— Ce sont des rôles. Pour moi. Des auditions. Persephone... me les a envoyés. Je, euh... j'y allais, justement. Une... grosse série télé. Tout le monde est... à bloc.

Maman fronce les sourcils.

— Mais ma chérie, tu es *beaucoup* trop jeune.

Paaardon ?

— J'ai seize ans, Maman. Tu te souviens ? La règle, c'est qu'on a le droit d'être actrices à partir de seize ans. Tu confonds avec Hope.

Regard dans le vide.

— Maman ?

Regard vers la fenêtre.

— Maman.

Elle semble enfin se rappeler ma présence.

— Hmm ? Oh, oui, ma chérie. Tu dois avoir raison. Enfin. Tu as toujours été la grande beauté de la famille. Tu utilises bien la crème hors de prix que je t'ai donnée ? Les caméras HD ne pardonnent aucun *défaut*.

Je bats des cils.

— Oui, Ma...

— Où est ta sœur ? me coupe-t-elle. Je ne la trouve nulle part. Elle n'est pas dans sa chambre. Elle n'y met plus jamais les pieds, d'ailleurs.

Mon ventre se noue.

— Mercy dort. Et Hope est sortie s'acheter un sac pour l'école avec Papa et… Roz.

Maman me foudroie du regard. Le visage inexpressif, elle m'effleure la joue des lèvres. Le baiser d'une plume d'oisillon.

— Soit. Je crois que je vais me recoucher. Au revoir.

Lentement, elle remonte à l'étage d'une démarche digne, le dos droit, le menton relevé. Genevieve et moi la suivons du regard.

Pendant un instant, je vois d'autres versions de ma sublime mère qui dansent comme la flamme d'une bougie : Maman qui fait sauter Hope dans ses bras, qui chatouille Mercy, qui porte Max sur son dos, qui me caresse les cheveux, qui glousse à une blague débile, une main devant la bouche.

Et la chandelle s'éteint, il n'y a plus qu'une porte close.

— Bien, embraie Genevieve, très brusque, très pro. Faith, nous pourrons actualiser tes réseaux sociaux pendant le trajet. Je pense *Positivité* avec une photo de posture yoga. Hashtag *Bhujangasana*, hashtag *vivreautaquet*, hashtag *soleildansmoname*. On y go.

Je bloque sur l'assistante de ma grand-mère, qui pianote impatiemment sur son portable.

Elle les sort *d'où*, d'abord, ces photos ? C'est trop bizarre de me dire que Genevieve me tricote une fausse vie, ou qu'elle pêche des photos de ma vraie vie sur le Net.

Je ne sais même plus trop ce qu'est *Bhujangasana*.
La posture de l'arbre ? Du pont ? De l'aigle ? Une
forme de bouilloire ? Oh et puis zut.

Je sors mon tél et textote :

En route pour ma 2e audition ! Grooos stress !
Souhaite-moi bonne chance ! À ce soir pour le
CADEAU ! Je t'aime ! xxx

Puis, portée par l'inspiration :

Hope, URGENCE TOTALE. Besoin IDÉES
CADEAU POUR UN AN NOAH. Presto stp.
Cucu à fond ! xxx

Sourcils froncés, j'ajoute :

Cucu = romantique, hein. xxx

S'il y en a bien une qui s'y connaît en romantisme,
c'est Hope.
— OK, je réponds à Genevieve, franchement rassurée d'avoir confié ma vie amoureuse à ma cadette.
On est parties.

19

Pourquoi les acteurs fument-ils ?

Pour faire un tabac.

C'est bon, je suis *prête*.

Le script gravé dans mon cerveau, dans ma rétine. Dans dix ans, vingt ans, que je décroche ce rôle ou pas, j'entendrai encore ces répliques dans mon sommeil.

Et je confirme, mon personnage a l'air passif à mort, limite incarnation du néant. Mais si c'est ce que veut Teddy Winthrop, je vais lui en donner, du néant.

Après tout, ça a cartonné, l'autre fois.

— Re-salut ! me lance la réceptionniste. Faith ! J'étais *sûre* que tu décrocherais ce rôle. Ce n'était pas un *pres*sentiment mais un *vrai* sentiment. (Elle se penche.) Tu as capté ? Ha, ha, ha !

Je ne supporte pas les gens qui demandent *T'as capté ?* quand ils ont sorti une blague.

Non, j'ai envie de hurler. *Arrêtez de me poser la question.*

— Je capte *de ouf* ! je m'esclaffe. Bon, un dernier truc à me dire avant que j'y aille ?

— Je ne crois pas ! C'est plus ou moins une formalité. À toi de jouer ! Ils t'attendent !

J'inspire à fond et franchis la porte.

Il y a plus de monde, cette fois. Tous assis du même côté de la pièce, ils attendent, donc, et m'observent. Je les épie aussi, fébrile. La dame aux lunettes en écaille, Teddy Winthrop et un jeune que je ne reconnais pas sont debout devant.

Un simple coup d'œil à Teddy m'indique que ce n'est pas lui qui m'a demandé de revenir. Il est tétanisé.

— Faith Valentine ! lance l'inconnu en s'avançant. (Tee-shirt et jean noirs, cheveux argentés, l'uniforme du réal, quoi.) Je suis Christian Ellis, c'est moi qui vais réaliser cette série. (*Bingo.*) Ravi que tu puisses être des nôtres.

Nouveau coup d'œil à Teddy. Lèvres serrées. Non : *compressées.*

— J'ai visionné ta première audition, reprend le réal avec un sourire généreux. La matière est tellement riche, tu ne trouves pas ?

— Il va y avoir pas mal de boulot, oui, approuve sèchement Teddy.

— Espérons que tu pourras nous offrir un peu de la magie Valentine, aujourd'hui.

— Avec joie, je lui réponds en souriant et je m'assois, de plus en plus perdue. Merci de m'avoir invitée.

Hmmm, c'est quoi, le délire ? Le directeur de casting me regarde comme si je lui avais vomi sur les pompes. Qu'est-ce que je fiche là ?

— Nous n'attendons plus que l'autre actrice, conclut Christian. Et nous pourrons commencer.

J'en reste bête. *Quelle autre actrice ?* La porte s'ouvre brutalement, le battant marque le mur.

— ET ME VOILÀ ! J'arrive-j'arrive ! *Oups-là-là.* C'est moi qui ai fait ça ? Bon, bref, il y avait ce type dans le train, jambes écartées, je lui fais *resserre tout ça, mon gars*, lui il me sort *de quoi ?* alors je lui demande *tu protèges quoi ? le diamant bleu de* Titanic ? Et lui, *non mais tu te prends pour qui espèce de...* Bref, j'abrège, le chef du train m'a éjectée à l'arrêt suivant. Du coup... retard.

Miss Porte tend ensuite ses mains et fait la révérence, *ta-daaa !*

Puis elle me regarde de ses yeux verts félins sous sa frange décolorée.

— Oh, fait-elle d'une voix plate. C'est toi. *Shocking.*

— Votre attention, s'il vous plaît ! s'excite le réal. Je vous présente Scarlett Bell, un vent de fraîcheur. Nominée cette année aux Olivier awards dans la catégorie Talent prometteur. Nous sommes tous ravis qu'elle ait été confirmée dans le rôle de Frankie.

— Je n'ai pas gagné, précise bien fort la miss. Et quelque part tant mieux parce que je ne suis pas encore connue, c'est franchement plus marrant comme ça.

Et elle rit. Un rire démesuré, gênant, mêlé de grognements.

Moi, je me liquéfie.

— Frankie ? Tu vas jouer… Frankie ?

— Eh ouais, réplique la fille, sourire-joues roses.

Jamais vu une bouche aussi grande. Il y a quelque chose de maléfique dans les commissures pointues. Comme le Joker dans *Batman*.

— Frankie, répète Scarlett. F-F-Frankie. Franko. Frankenstein. C'est moi.

Mais…

— Ça veut dire que moi j'auditionne pour…

— Pour ce que tu veux, ma grande, me coupe Scarlett en s'affalant sur l'autre chaise, les bras croisés sur la tête. Un ananas. Un pêcheur. Un quart de boys band. C'est toi qui vois.

Je me fige.

— Rôô, petite blague, soupire la fille. Nom d'un guacamole. Vous la sortez d'où, miss People ? Attendez, je crois savoir… (Elle se met à fredonner.) C'est toi la nénette de Bahia et Lisbonne, non ?

Ma figure en feu. *Merci, Noah.*

— Faith…, me sourit Christian le réal. Tu auditionnes pour le rôle d'Agatha. Il me semblait que c'était spécifié sur les documents que nous avons envoyés.

126

Et... j'ai passé vingt-quatre heures à apprendre les mauvaises répliques.

Non non non non non non...

— Non, c'est bon, ça va ! je réplique avec mon sourire le plus zen. Je peux jouer Agatha, pas de souci ! Le temps de trouver... (*Ma santé mentale, le contenu de mon estomac, l'envie de vivre.*) Mon gloss. Il va me falloir des lèvres pétillantes pour... bien incarner ce personnage.

En panique, je plonge la main dans mon sac, m'efforce de survoler le script. Je tremble si fort que je n'arrive même pas à tourner les pages.

Scarlett mate mes mains deux secondes avant de passer à mon visage. Ses traits s'adoucissent.

— Avec le texte, OK ? demande-t-elle d'une voix franchement plus sympa. Monsieur Ellis, Faith peut prendre son texte ? Le message a dû mal passer, c'est clair. Vous voulez bien ?

— Et comment ! glousse Christian. Pas de problème ! Je ne suis pas un *monstre* comme notre petit Teddy.

Notre petit Teddy, soixante-dix ans facile, est rouge de colère.

— Oui, cède-t-il. Oser demander à une actrice de mémoriser quatre répliques afin de décrocher le rôle dans lequel elle dira lesdites répliques... Quel monstre je fais, en effet.

Un rictus reconnaissant à Scarlett et je sors mon script.

Les répliques d'Agatha, je les connais plus ou moins. Par contre, la psychologie du personnage, aucune idée. Et je m'étonne un peu que la pile électrique assise près de moi ait été choisie pour jouer la très fadasse Frankie.

— Allons-y ! lance-t-elle justement en tapant des mains. Il me reste pas mal de lourdauds à recadrer et moins de soixante ans à vivre.

Elle m'adresse un clin d'œil, s'éclaircit la voix.

Et la magie opère : son visage se métamorphose. Sa bouche se fait délicate ; ses yeux en amande perdent leur éclat ironique et deviennent lumière, pureté, innocence.

— *Fais semblant de conduire*, me chuchote-t-elle tandis que je la scrute, fascinée.

Comment elle a fait ça ?

Je bats des cils.

— Hein ?

— Fais. Semblant. De. Conduire. Dans cette scène, tu es censée conduire, ça te revient ?

— Oh ! oui. Hmm.

En mode godiche, je serre le poing droit et fais des mouvements de la main gauche sur ma cuisse. Comme si j'essayais de traire une vache miniature.

— Et... on y va.

Scarlett baisse les yeux, puis soudain (mais comment ?) c'est Frankie qui les relève, la bouche tremblotante.

— On a abandonné Fred.

Et pour la première fois, je comprends toute la portée de cette réplique. *On a largué son amoureux en rase campagne, il hurlait à l'aide, et nous on a... filé.*

— Oui, je renvoie en consultant mon texte. On n'avait pas le choix !

— On a *toujours* le choix. On a choisi de se sauver. Nous.

Son visage dégage de la force, Frankie n'est plus une petite chose faible. C'est même tout le contraire.

— Te sauver toi, j'enchaîne.

Mais par comparaison, ça sonne plat. Inspiration subite : j'empoigne ma collègue par son tee-shirt et la secoue.

— PAS MOI. SEULEMENT TOI.

— *Tu conduis toujours*, me souffle ma voisine. *Volant. Vitesses. Pédales. Les yeux sur la route*, steuplé.

— Oh ! (Je lâche son tee-shirt, penaude.) Pardon.

— On a choisi de se sauver, répète-t-elle pour m'aider tandis que je reprends le contrôle de notre véhicule imaginaire. Nous.

— *Te sauver toi. Pas moi. SEULEMENT TOI.*

— Je... je ne comprends pas.

Et je confirme, elle donne l'impression de ne pas comprendre. Frankie a l'air tellement soufflée que j'ai envie de couper la scène pour lui faire voir le script : *Regarde. C'est là. Réplique 9. Je ne comprends pas trop non plus.*

— Pour MOI c'est *trop* tard, je poursuis avec raideur en survolant la réplique 10. C'était déjà trop tard il y a six semaines.

Minute. *De quoi ?*

— Mais... tu veux dire que... (L'horreur envahit le visage de Frankie, un muscle de sa joue tressaute et elle frémit avec une once de dégoût.) Non. Je ne te crois pas.

Ton personnage est le dernier survivant.

Teddy me l'a dit texto l'autre fois ; comment ai-je pu ne pas capter que Frankie se faisait la malle avec un zombie ?

— Pourquoi m'as-tu aidée ?

Les yeux de Frankie s'embuent pour de vrai. Ne me demandez pas comment. Puis ils s'embrasent de colère quand elle reprend :

— Pourquoi tu ne m'as pas larguée avec Fred ? Qu'est-ce que tu comptes faire de moi ? C'est quoi, la suite ?

Ma bouche s'ouvre.

— EEEET... COUPEZ !!

Je cligne des yeux. C'est *quoi*, la suite, en vrai ?

— Bien, bien, commente Scarlett.

Redevenue elle-même, elle se lève d'un bond.

— Ravie de t'avoir rencontrée, Valentine. Je vais me taper une pizza, j'ai trop les crocs. Vous me prévenez quand la prochaine Agatha sera là, OK, monsieur Ellis ? Purée mes fesses, ces chaises c'est l'horreur. À plus !

Et elle file.

J'*ai réussi.*

Les yeux rivés sur la marque laissée dans le mur par l'entrée de Scarlett, je sens mon corps entier qui se détend tout doucement.

Me voilà enfin prête à prendre le relais familial, poursuivre la course et faire honneur à notre nom. Marcher dans les pas de ma mère, de ma grand-mère, de mon arrière-grand-mère. Et peut-être même y prendre du plaisir : porter des costumes, papoter avec mes collègues stars, apprendre mes textes, incarner des…

— C'est clair, maintenant ? explose Teddy. Tu m'écoutes, Chris ? Ça, c'est mon *job*. Je le fais depuis *cinquante ans*. Je sais de quoi *je parle*.

— Ted. Pas si fort.

— Je parle comme je veux ! On me paie pour faire le casting de cette série, et toi tu me *court-circuites*, tu *sapes* mon autorité, tu *remets en question mon profes-sionnalisme...*

— Ce n'est ni le moment ni le lieu...

— Tout ça pour un coup de pub gratis ! Pour que les journaux parlent de la série... Tu savais que ce serait dans la poche avec cette *petite héritière* sans talent et qui ne cherche qu'à se montrer.

Petite héritière sans talent qui ne cherche qu'à se montrer ?

Une petite minute, ils parlent de *moi* ?

Sûrement pas. Enfin, je suis *encore là*.

— Mais là c'est bon, tu l'as vue de tes yeux, non ? Je me fiche qu'elle soit belle, je me fiche de savoir qui sont ses parents, je me fiche du réseau de sa mémé ou du fait qu'elle sorte avec l'autre joli cœur. Nous ne pouvons pas la prendre !

— *Theodore*, intervient la femme aux lunettes en écaille. *Ça suffit.*

Je mate mes mains. Je suis toujours là, non ?

Teddy Winthrop semble brusquement reprendre ses esprits, se rendre compte que je ne suis pas complè-tement sourde.

— Navré que tu aies entendu ça, dit-il comme s'il n'avait pas pu attendre que je sois sortie. Je suis sûr que tu es une chic fille. (Dans sa bouche ? Pas vraiment un compliment.) Mais là, c'est la vraie vie, Faith. Je veux qu'on produise une belle série. Une superbe série. Et pas seulement... rendre service à la famille Valentine.

— Je n'étais qu'un coup de pub ? je tente de comprendre en m'avançant. Vous m'avez offert une seconde chance et vous avez laissé *fuiter* mon nom pour que la presse parle de la série ?

— Non ! se récrie Christian Ellis. Non, pas du tout ! Enfin, si. Si, c'est vrai. Mais j'espérais aussi que tu serais… Enfin tu m'as compris.

— Capable de jouer une morte ?

— Voilà ! Sauf que…

— Mauvaise pioche.

— … En effet. À mon grand regret, ajoute-t-il en haussant les épaules. Je pensais que nous pourrions obtenir un résultat correct mais… je n'y crois plus.

Quelque chose s'écroule en moi. Alors j'inspire à fond et me compose mon expression la plus mignonne. Je suis calme, je suis gracieuse, je suis équilibrée.

Ça, c'est fastoche. Il suffit de retenir tous ses cris et de les enfouir au plus profond de soi. Avec de l'entraînement, c'est à la portée de tout le monde. Je pratique depuis des *années*.

— Je comprends tout à fait, je souris en serrant la main du réal. Merci pour votre franchise. Ç'a tout de même été un plaisir de vous rencontrer.

Puis je me tourne vers Teddy Winthrop.

— Merci pour votre honnêteté.

Fossette.

À la femme aux lunettes :

— Merci de m'avoir donné ma chance. (Fossette.) J'espère que vous me recontacterez quand j'aurai fait des progrès.

Fossette fossette fossette.

Et *sortie*.

— Hmm, marmonne Teddy tandis que je m'approche sans bruit de la porte. J'y suis peut-être allé un peu fort.

— Peut-être, oui, ironise la dame aux lunettes.

Mes doigts se posent sur la poignée, je m'y raccroche deux secondes car j'ai la gorge qui se serre, la poitrine oppressée et le sourire qui menace de craquer. *Non. Non. Non. Non.*

— Bonne journée à tous ! je lance sans me retourner. Elle s'annonce radieuse !

Et je sors à l'aveuglette.

Non.

Je referme derrière moi, les paupières closes. J'ai la tête qui tourne, le cœur qui martèle, et le cerveau en ébullition. *NON NON NON NON NON NON. NONNONNONNONNONNONNON...*

Quand enfin je rouvre les yeux, je remarque un bout de papier par terre. Je le ramasse en râlant. Qui est le porc qui s'amuse à souiller cet endroit ? Un rapide coup d'œil et je le fourre dans mon sac. Mon téléphone vibre à l'instant où je le sors.

APPEL MANQUÉ : Noah

APPEL MANQUÉ : Noah

APPEL MANQUÉ : Noah

APPEL MANQUÉ : Noah

APPEL MANQUÉ : Noah

Trop chou. Mais je ne suis pas prête à parler de ce qui vient de se passer. C'est un poil trop tôt. Et ça risque de durer.

Je textote fissa :

Audition en cours. Te rappelle xx

APPEL MANQUÉ : Hope

— *Alooors* ? lance la réceptionniste en roucoulant. Tu les as bluffés, je parie ! J'étais *sûre* que tu serais parfaite. Tu sais, murmure-t-elle timidement, ils me font lire les scripts, des fois. C'est pour ça que je fais ce job. Ma porte d'entrée dans l'industrie !

Je souris même si je ne sens plus ma bouche.

— Bonne chance, je réponds, le visage comme du plastique dur. Je croise les doigts ! À la prochaine !

À court de points d'exclamation en toc, je montre mes doigts croisés et m'éclipse, m'engouffre dans la limousine gris argent qui m'attend et dans laquelle je prends calmement place, avec élégance et retenue.

Car *Les Valentines sont classe en toute circonstance.*

Même. Celles. Qui. Jouent. Comme. Leurs. Pieds.

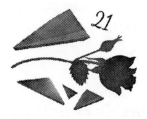

21

Pourquoi les dramaturges préfèrent-ils
payer en liquide ?

Pour écouler leurs pièces

— Da-da-da-DA ! Gros plan sur Faith Valentine !
Trompettes !
— Tapis rouge ! Pétales de roses ! Projecteurs !
— Ouvrez l'enveloppe !
— *Eeeeet la voici*, mesdames et messieurs, la formidable deuxième sœur Valentine, icône absolue du
cinéma britannique ! Faith, dis-nous qui t'a inspirée,
d'où vient cette robe, comment tu arrives à marcher
avec ces talons ? Fais-nous profiter de tes secrets, noble
lady ! Nous ne sommes pas dignes de recevoir ton éclat
divin !
On me remet un vrai oscar.

— Le premier d'une longue série ! Stop, deux secondes, que je l'astique, il traîne dans les W.-C. du rez-de-chaussée depuis limite dix ans.

— Beuuurk, il y a du papier collé dessus. Quelqu'un va se faire virer, je le sens.

Rapide coup d'œil au trophée. Puis à mon frère et mes sœurs qui m'attendent à la porte de chez nous. Ils ont posé un tapis de bain rose à franges sur le tapis WELCOME. Mercy me jette à la tête un pot-pourri trempé ; Hope agite une vieille enveloppe ; Max me braque la lampe de l'entrée dans les yeux.

— Une beauté époustouflante ! Comme toutes les superstars ! Elle remercie à présent ses parents, sa grand-mère, l'industrie du cinéma, mais surtout son charmant grand frère sans qui rien de tout cela ne serait possible !

Max fait un bond sur le côté, s'offre une révérence.

— Oh merci, Max à la beauté ravageuse ! Oui, ç'a été un honneur pour moi d'aider cette adorable guenon à naviguer dans les eaux morveuses de l'adolescence afin qu'elle devienne la sportive maniaco-tonique qui se tient aujourd'hui devant nous.

Mercy me balance de nouvelles fleurs séchées mouillées.

— Et la gagnante est... (Hope ouvre une facture de gaz d'un geste théâtral, fait semblant de la lire.) Rihanna ! Oups... petite erreur. Suis-je bête. Faith Valentine !

Un gloussement me sort par le nez.

— Alors, enchaîne ma petite sœur en déchirant la facture. Comment ça s'est passé, raconte ! C'est trop suspensif, là.

— Moui, le suspense est insoutenable, plaisante Max.

Je me mords la lèvre. Leurs visages sont tous optimistes.

— Je dirais que... euh... qu'il est trop tôt pour affirmer quoi que ce soit... (*Nous-ne-pouvons-pas-la-prendre.*) On va devoir attendre le mail de Persephone !

Plus jamais je ne consulte ma messagerie.

— Rôô, pitié, intervient Mer' en me tapotant le bras. Vas-y, quoi. Ils seraient malades de ne pas afficher ton si parfait visage sur tous les bus de Londres.

Ça me laisse sans voix. Ou presque :

— De quoi ?

Là je fixe sa main du regard. Mercy me... touche... de son plein gré ? Elle cache un gadget ? Un bidule qui va m'électrocuter ?

— Ça m'arrive d'être sympa ! me dit-elle en croisant les bras. Fais pas cette tête-là.

Je souris et lui claque une bise.

— OK, mais que ça ne devienne pas une habitude. C'est limite flippant.

Mercy grommelle un truc en guise de réponse.

Sur ce, Max me conduit à la cuisine en paradant.

— On t'a préparé un gâteau pour fêter ça ! Enfin, on l'a commandé, plutôt. Et c'est juste des donuts, en fait. Bref, en mode pique-nique ! Et quand je dis pique-nique, je dis... TA-DA !

La table est couverte d'un méli-mélo de « bonnes » choses. Des sandwiches tomate-thon qui s'écroulent, des bols qui débordent de biscuits apéro. Des œufs durs (je crois…) avec des morceaux de coquille dessus. Des bouteilles de boissons pétillantes fluo – à moitié vidées – et une assiette de mini saucisses piquées sur des… Oui, sur des *bâtonnets interdentaires,* pas des cure-dents. Ces trucs qu'on trouve en pharmacie.

Et au milieu de tout ça, un énorme plat à rôti garni de donuts, avec une lettre dessinée en nappage sur chacun.

FÉLICITTIONSEFFIE

— Le « A » est tombé par terre, explique Hope en se léchant les doigts. Et s'est fait dévorer. La règle des cinq secondes pour agir, tout ça.

J'en ai la gorge surnouée. Que serais-je sans eux, sérieux ?

— Mince alors ! je m'exclame en choisissant une saucisse. Et j'ai aussi droit à un traiteur ? Le même qui s'occupe des anniv' de Brad Pitt, non ?

— Dans ses rêves ! s'esclaffe Max. Brad n'a pas le privilège de traiter ses mini saucisses et ses quenottes avec les mêmes ustensiles.

On se marre tous et on s'installe à table.

Max enfourne un œuf entier ; Hope et Mercy se disputent déjà le seul sandwich potable ; tout est plus ou moins en ordre. Les cris, les rires, les insultes, le bonheur tranquille. Plus ou moins, donc.

— Eff' ! me lance Hope, la bouche pleine. J'ai eu une idée de cadeau pour Noah ! Je me suis surbookée, tu vas halluciner.

— Surpassée, la corrige Max.

— De quoi ?

— On dit *se surpasser*, pas *se surbooker*, Po.

— Ah parce que tu sais ce que je vais dire à l'avance ? Tu vis dans mes pensées ?

Je pouffe, mon téléphone vibre.

APPEL ENTRANT : Noah

— Laisse tomber, Hope, lui dis-je. Mais bon, j'accepte ton idée, je suis sûre qu'elle déchire.

Et je décroche en grignotant un biscuit. Le joli cœur *LOL*. Mon petit doigt me dit que mon chéri ne trouverait pas ça marrant.

— 'Lut ! Ça va, toi ? Moi, je suis en plein piquenique de l'horreur.

— Hé ! s'indigne Max en avalant un second œuf tout en consultant son iPad. Un peu de politesse, quoi.

Ça crépite à mort dans le téléphone.

— … Pas… Moi… Hier… Quoi… vrzrvr… Peux…

— Noah, je ne t'entends pas. On est dans la cuisine, ça capte toujours aussi mal. Bouge pas.

Je me lève d'un bond, me cale derrière le frigo. *Bah.* Une courgette moisie. Comment de la bouffe peut-elle atterrir là alors qu'on ne cuisine même pas ?

— ... Ne... vrzrvr. Peux pas... Je...

— Noah ?

Je fronce les sourcils. J'ai l'impression qu'il m'appelle du fond d'une canette de soda secouée.

— Tu es au studio ? Attends, je vais...

— ... Toi... vrzrvr...

— Effie.

Je lève un doigt.

— Deux secondes, Max.

Je m'enfonce le doigt dans l'oreille.

— Noah ? Tout va bien ? Tu m'entends ou...

— ... carrément... à... de...

— Effie.

— *Attends, Max.* Noah essaie de me dire un truc...

— Vrzrvr... expliquer.

— FAITH VALENTINE ! beugle Max dans mon dos. TU VAS POSER CE TÉLÉPHONE, OUI ?

Shocking. Je raccroche. Mon frère et mes sœurs me regardent avec des yeux ronds. L'écran de l'iPad brille sur la table.

— Quoi ? Qu'est-ce qui se passe ?

Mon ventre se contracte. À tous les coups c'est l'audition. L'histoire a fuité, le monde entier sait que je suis la honte de ma famille....

— Dites-moi !

— Assieds-toi, Effie, me conseille gentiment Max en m'approchant une chaise. Respire à fond, ça va piquer, sœurette.

Sois calme, Faith. Posée.

141

— Je ne m'assois pas, je réplique avec un calme surprenant. Je vais très bien, merci. Faites-moi voir cet écran.

L'iPad pivote lentement dans ma direction.

L'espace d'un instant, tout est flou : la photo, le titre, la légende. Une fraction de seconde, c'est encore une blague que je ne capte pas. Un gag pas super drôle, noté sur un Post-it collé à un mur, avec un baiser en guise de signature.

Et puis… tout s'éclaire.

LE CHANTEUR ET LA BLONDE

Depuis une heure, des photos montrant Noah Anthony en mode câlin avec une mystérieuse blonde fleurissent sur la Toile. Noah est pourtant en couple avec la sublime et célèbre Faith Valentine… La mystérieuse blonde, elle, serait une fan rencontrée lors d'une after. Est-ce la fin, pour Fainoah ?

— Faith, me souffle Mercy, le regard sombre. J'ai mal pour toi.

Je poursuis ma lecture.

Le chanteur nie en bloc : « Ce n'est pas ce qu'on pourrait croire », a-t-il déclaré. Et pourtant, on pourrait croire (voir photo ci-contre) ! Nos sources n'ont pas réussi à identifier la jeune femme mais des témoins de la scène affirment

que ce filou de Noah était « à fond dans le moment ».

Ça ne tient pas debout. Noah m'aime ; je le sais. Il doit y avoir méprise ; ou alors c'est un fake. Une photo trafiquée ? Ou bien l'angle est trompeur, il lui fait juste la bise. À moins que ce soit une vieille photo. Mais… je plisse les yeux car l'image est un peu floue… pas de doute c'est bien lui, et il a le crâne rasé.

Traduction : la photo date de moins de deux jours.

Et je constate qu'ils s'embrassent grave.

— En plus il venait de te chanter sa chanson trop romantique, là, s'indigne Po, les yeux humides et les poings serrés. Pour mon cadeau romantique qui tue il peut toujours courir ! Non mais quelle espèce de… espèce de… petite merde séchée !

Mon téléphone re-vibre.

APPEL ENTRANT : Noah

Je refuse l'appel.

APPEL ENTRANT : Noah

Je re-refuse. Puis je vais m'asseoir dans l'escalier, je retire mes talons extra-hauts de l'audition et j'enfile mes baskets fluo.

— Faith ! gronde Max en m'arrachant une chaussure des mains pour la jeter dans le couloir. Arrête un peu ! Tu n'es pas bien ou quoi ? Tu ne peux pas passer ta vie à… *courir*.

Je jure que si.

— Hmm, intervient Mercy en zyeutant par la fenêtre, les joues rouges. Au contraire, tu devrais peut-être prendre tes jambes à ton cou, Eff'.

Je lève les yeux, lasse.

— Pourquoi ?

— Les papz débarquent.

22

Et zut, raté.

En deux secondes, je fonce à la porte de derrière, une basket enfilée, l'autre à la main, à cloche-pied dans le jardin, ça peut le faire, mais à l'instant où j'ouvre, les flashs crépitent et les questions fusent. Je recule et referme.

— M'enfin ? (Je me tourne vers mon frère et mes sœurs agglutinés derrière moi, fébriles.) Comprends pas. Comment ils ont pu entrer ? C'est même pas… *légal.*

— Quelqu'un a dû leur ouvrir, explique Max, le front plissé. Comme les vampires ou les livreurs, on a dû les inviter.

Maman ? Est-ce qu'elle débloque au point de laisser quinze journalistes de la presse internationale frapper à notre porte ?

— FAITH ! crie une voix par la fente pour le courrier. FAITH VALENTINE ! COMMENT TU TE SENS ? TU DOIS ÊTRE DÉVASTÉE !

Mon cœur bat à tout rompre.

APPEL ENTRANT : Noah

Je refuse encore.

— Mais qu'est-ce que je peux… Je ne vais pas pouvoir… (Mes joues s'embrasent, ma gorge se noue.) Est-ce que quelqu'un voudrait bien *les faire partir* ?

— Tout à fait, répond Max en roulant des mécaniques. Je m'en charge. Monte dans ta chambre, Eff', je gère.

Mon frère retrousse ses manches comme s'il allait prendre le contrôle de la situation en cravatant les intrus.

— Moi, je vais te les massacrer, moi ! hurle Hope qui boxe déjà dans le vide. Je vais te les, je vais te les… je vais te leur arracher la cervelle par les oreilles… à la paille, et après je la ferai griller au barbecue, et après j'y foutrai de la sauce et je la boufferai !

Tous les regards se tournent vers elle.

— Du calme, Hope, la recadre Max. Ne t'emballe pas. Ils ne font que leur travail.

Hope cogite un court instant.

— Ou alors je leur hurle CASSEZ-VOUS TOUS BANDE DE GLANDS aussi fort que je peux ?

— Déjà mieux.

APPEL ENTRANT : Noah

Refus.

Affolée, je grimpe cinq marches. Hâte de me réfugier dans ma chambre, à l'abri, de m'allonger dans le noir pour tenter de comprendre comment je...

— Ou bien, propose Mercy, tu peux aussi sortir.

Pause.

— Hein ?

Ses yeux noirs luisent.

— Tu sors et tu leur expliques. Qu'ils ne parlent pas à ta place. Tu donnes ta version. Tu t'exprimes, pour une fois. Rien ne t'oblige à être la victime, OK ?

Ma grande sœur me couve du regard.

— Oooh, fait soudain Max en déroulant ses manches. Mouais. Oublie mon idée, c'est carrément mieux. Perso, c'est ce que je ferais.

— Mais... (Je descends prudemment de deux marches.) Je ne sais même pas ce que je veux dire. Je ne sais même pas de quoi on parle, là. Il faudrait que je voie avec Noah d'abord.

APPEL ENTRANT : Noah

— Pour qu'il te sorte encore une excuse à la noix ? réplique Mercy, la mâchoire crispée. Genre *c'est pas ce que tu crois, il faut me croire, c'était une erreur, je t'aime, bébé, on ne pourrait pas oublier cette histoire ?* Pourquoi ? Ça servira à quoi ? Il a dit ce qu'il avait à dire, Eff. Il a parlé aux journaux. Maintenant c'est ton tour.

Je refuse l'appel. Le front plissé, je descends d'une marche d'un pas hésitant.

— Mais… Je suis censée faire quoi ?

— Gueuler ! claironne Hope. Tu cries ! Tu casses des trucs !

— Tu pleures, suggère Max. Tristesse affligée et larmoyante. Qu'il culpabilise *à fond*.

— Tu te la joues distante, genre vraiment rien à battre !

— Résolue mais digne ! Prête à pardonner mais juste lorsqu'il t'aura suffisamment suppliée !

— Sois courageuse, aussi !

— Et fougueuse !

— Terrincée !

— Résiliente !

C'est pas vrai…

— VOUS ALLEZ ARRÊTER AVEC VOS CONSIGNES DE RÉAL, VOUS DEUX ! VOUS NE M'AIDEZ PAS, LÀ !

L'esprit embrouillé, je me tourne vers ma grande sœur. Elle ne dit rien mais j'ai besoin de sa force et de ses conseils.

— S'il te plaît, Mer'. Je leur dis quoi ?

Mercy fronce les sourcils.

— Tout ce qui te passera par la tête, Eff'. Précisément.

Pas le temps de cogiter. Max entrouvre la porte de devant pour annoncer que je vais faire une déclaration dans dix minutes afin de « clarifier la situation ». Sur ce, on m'entraîne dans la chambre de Hope où je vais recevoir ce qu'elle appelle *Le Make-Over Ultime*

De Largage. Sauf que personne n'arrive à décider si je dois être impeccable – *Ce que tu as fait ne me touche pas !* – ou bien en vrac – *Cette nouvelle m'a détruite* – ou encore glamour – *Enfin libre !* –, pleurnicharde – *Comment as-tu pu me faire ça ?* – ou resplendissante – *Je suis déjà passée à autre chose !*

— Comment savoir…, lâche Hope, frustrée, en sortant son énorme vanity. Quelle teinte de rouge à lèvres indique que *mon copain embrasse d'autres filles pendant que je suis peinarde au lit* ?

Max secoue la tête.

— Quoi ? fait Hope, les yeux tout ronds. J'ai dit quoi ?

Le temps qu'on me raccompagne au rez-de-chaussée, je suis à la fois radieuse et en vrac, barbouillée et reposée, highlightée et mate, nouée et brillante : le tout saupoudré de taches de mascara soigneusement étudiées, les lèvres rouge sang.

— Voilà, reprend Max en se frottant les mains. Et n'oublie pas : lui c'est un minable, toi tu es une déesse, il ne te mérite pas, tu vaux mieux que ça, tu l'as échappée belle, ouf tant mieux, etc.

— On t'adore ! ajoute Hope en m'aspergeant le visage avec de l'eau histoire d'étaler un peu plus mon eye-liner. On t'adore de ouf ! Bonne chance !

Mercy examine ma figure puis me presse le bras. La porte s'ouvre. Crépitements de flashs.

— FAITH ! FAITH VALENTINE ! COMMENT TU TE SENS ?

— QUE T'INSPIRE CETTE TRAHISON ? AVAIS-TU DES SOUPÇONS ?

— COMMENT L'AS-TU APPRIS ? NOAH A TOUT AVOUÉ ?

— TU COMPTES LUI PARDONNER ?

— C'EST QUI, LA FILLE ? ENCORE AVERY ?

— POUR TOI, EST-CE LE POINT FINAL D'UNE RELATION EN POINTILLÉS ?

J'ouvre la bouche.

TÛÛÛÛÛÛÛÛÛÛÛÛÛÛÛT.

Tous les journalistes se retournent. Une énorme limousine grise déboule dans l'allée. Elle s'arrête en crissant des pneus, une portière s'ouvre violemment et ma grand-mère débarque sur le gravier, sa canne en mode jambe de bois.

Tout le monde recule.

— Du large ! ordonne Grand-mère en agitant sa canne. Arrière, charognes ! Vous vous croyez où ? Au cirque ? Nous sommes des Valentines ! Vous pouvez remballer votre romantisme sirupeux à deux sous !

Silence gêné. Puis une voix reprend le combat et on lui fourre un Dictaphone sous le nez.

— Lady Sylvia ! Lady Sylvia ! Qu'est-ce que cela vous fait d'apprendre que votre petite-fille a été trompée ? Avez-vous toujours considéré Noah Anthony comme un bon à rien ?

— Sans commentaire, réplique Grand-mère.

— Et le rapport entre cet événement et les récentes rumeurs d'infidélité concernant votre gendre, Michael ?

— Sans commentaire.

— Que ressent Juliet à l'idée que sa fille vit la même chose qu'elle ?

Je tressaute. Dans tout ce chaos, il ne m'était pas venu à l'esprit qu'on pouvait faire le rapprochement.

Les Valentines ne savent pas garder leurs hommes.

Grand-mère se hérisse.

— Êtes-vous en train d'insinuer, rétorque-t-elle en se redressant de toute sa hauteur, que les femmes sont responsables des errements des mâles de notre espèce ?

Voilà qui leur claque le beignet à tous.

— OUSTE ! tonne Grand-mère en plantant sa canne à un centimètre des orteils d'un journaliste. Du balai, *ouste*. (Nouveau coup de canne.) Ou je veillerai personnellement à ce que vous passiez le reste de votre carrière à couvrir les chiens écrasés, les fêtes de quartier et les anniversaires en maison de retraite.

Aussitôt ou presque, le perron est désert. Les four-gonnettes des paparazzis font demi-tour et filent.

— Grand-mère, je…

— Combien de fois devrai-je te répéter qu'on n'ouvre pas la porte comme ça ? Ma chérie, tu fais peur à voir. Hope, rentre donc préparer une tasse de thé à ta sœur.

— **I**n-ac-cep-table… vivre comme des barbares…
fromage par terre… votre mère n'est pas… père qui
folâtre à droite à gauche… répugnant… sauvagerie…
de toute ma vie…

Je comate à moitié.

J'ai les yeux ouverts et le dos droit, mais je n'arrête
pas de plonger et de remonter à la surface.

— Oui, Grand-mère.

— … pas ce que je… Et ne t'avise pas… aucune-
ment fautive… comportement vulgaire… te repro-
cher…

— Oui, Grand-mère.

— … culture moderne… attitude… sans la
moindre intégrité…

Je cligne des yeux et me lève.

— Excuse-moi, Grand-mère, ça me fait plaisir
que tu sois passée, mais il faut vraiment que j'aille
m'allonger.

Et je monte d'un pas lent.

APPEL ENTRANT : Noah

— Oui ? je fais d'une voix creuse.

— Bébé ? Eff, merci, mon Dieu. Il faut que tu m'écoutes. Ça prend des proportions de dingue, tu sais ce que c'est, tu sais qu'ils embrouillent tout. Je t'aime, il n'y a que toi, jamais je ne te ferais du mal. On peut s'en sortir, on va s'en sortir, si tu me laisses…

— Tu l'as fait ou pas ?

Micropause.

— C'est que, je ne sais pas trop comment… Ça m'est tombé dessus et…

— Noah, est-ce que tu l'as fait ?

— C'est moins grave que ça en a l'air, je te jure. Ç'a duré une seconde, je ne lui ai même pas parlé et…

— Noah, est-ce que tu as embrassé cette fille, oui ou non ?

Silence.

— Oui. C'est vrai. Effie, je m'en veux à mort.

— Qui est-ce ?

— J'en sais rien. On s'en fiche, tout ce qui compte, c'est que je t'aime, tu es celle que j'ai choisie, celle que je veux, écoute-moi je t…

— Merci d'avoir appelé, merci pour l'info. Bonne journée.

Je raccroche et monte les dernières marches.

Ding.

Mon interview exclusive de Faith Valentine a eu lieu dans sa chambre du manoir familial de Richmond – un espace tout en blancheur, vide, qu'elle décrit comme son refuge. Concernant le rôle qu'on lui propose dans *Deux semaines d'horreur*, elle déclare d'un air distant qu'elle l'adore. « Le métier d'actrice me fascine depuis que je suis toute petite. Pouvoir incarner d'autres êtres, vivre d'autres vies, raconter des histoires... il y a comme de la magie, là-dedans. »

Faith Valentine est impeccable, zen et, il va sans dire, d'une beauté solaire. Mais elle dégage aussi une certaine platitude, comme une absence : un excès de préparation qui peut désarçonner. Lorsqu'elle parle, elle donne l'impression de mal réciter un texte. Son regard est vide. Elle ne s'anime que lorsqu'elle évoque son chéri, le chanteur Noah Anthony. « Nous sommes très proches, déclare-t-elle avec passion. Cet amour si fort est une vraie bénédiction. Nous sommes un couple très solide. »

Dans la bouche d'une jeune fille d'à peine seize ans, il est difficile de ne pas trouver ces mots à la fois troublants et tristes. Faith est-elle vraiment un modèle pour nos adolescentes ? Sa popularité chez les jeunes n'est-elle pas un signe inquiétant de l'époque que nous vivons ?

L'avenir nous le dira – à condition que l'étoile de Faith continue de briller (de façon toujours aussi inexplicable).

Bien.

J'ouvre la porte de ma chambre. Une pile de magazines de mode m'attend sur le lit, à côté d'une couverture pliée. Un mug de soupe à la tomate est en train de figer sur ma table de nuit.

Je bats des cils, regarde par terre. Une brume épaisse recouvre le sol, me grignote lentement les pieds. Bientôt, je ne les vois plus.

— Non.

La brume engloutit mes jambes.

— *Non.*

Elle gobe mon ventre, ma taille, mes mains.

— NON.

Et mes bras, ma poitrine, mon cou. Je ne suis plus qu'un visage, je ne respire plus, je ne vois plus rien, je disparais, je ne suis plus là plus là plus là…

— NON NON NON NON *NON.*

Dans un cri puissant, je me tourne vers mon miroir. Je ne reconnais plus mon visage, cette masse de traits déformés.

— *NON*!

J'attrape une chaise et je la balance sur la glace, encore et encore et encore. Le verre ne casse pas, il se fissure, fissure, fissure, jusqu'à ce que mon reflet m'apparaisse morcelé en milliers d'éclats.

Vlan.

Un éclat est gentil, un autre est gracieux, un autre est sublime.

Vlan.

Un autre est insupportable, un autre une diva, un autre un monstre.

Vlan.

Il y a la victime et l'icône, la reloue et la déesse, la fake et l'adorable. Vlan vlan vlan vlan. Je cogne jusqu'à ne plus voir qu'un million de filles prisonnières du miroir : toutes celles qu'on leur demande d'être, tous les gens à qui elles doivent plaire, toutes les vies qu'elles doivent vivre, toutes les vies qu'elles ne vivent pas.

Vlan.

Et je ne sais même plus ce qui est réel ou pas. J'ignore lequel de ces éclats je suis pour de vrai.

Toc-toc, qui est là ?

Vlan.

JE N'EN AI AUCUNE IDÉE.

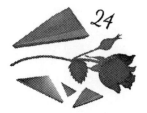

24

Toute pantelante, je repose la chaise et me rends dans ma salle de bains. Je branche mon rasoir électrique et me le passe en plein milieu du crâne, sur le devant, sur les côtés. Je ne m'arrête que lorsque je suis complètement chauve.

Je sors alors de mon sac le bout de papier blanc puis mon téléphone.

— Salut, c'est Faith Valentine.

— Oh, hé. Je me demandais quand tu allais appeler.

LE CŒUR EN MIETTES

Faith Valentine est muette de désespoir (voir photo ci-contre) après l'infidélité de Noah Anthony (lire ci-dessous). Pris en flag' le soir même de leur premier anniversaire, le chanteur coureur est introuvable depuis.

QUAND ÇA VEUT PAS

Des sources bien informées nous indiquent que Faith Valentine s'est retirée du projet *Deux semaines d'horreur* pour « raisons personnelles ». Le communiqué de presse officiel déclare : « La santé et le bonheur de Faith passent avant tout. Nous lui souhaitons bonne chance dans cette période difficile. »

C'EST PAS FINI, AFFIRME NOAH ANTHONY

« Je ne lâche pas l'affaire, claironne la pop-star Noah Anthony dans une CONFESSION EXCLUSIVE. Faith est l'amour de ma vie. Je vais la reconquérir. » Son nouveau single, « Faith » reste en tête des charts, et Noah prétend que sans elle il ne serait « rien ».

Qu'est-ce que je disais, Kevin ?! Voilà ce qui arrive quand un canon sort avec des crétins pleins aux as et pas avec des gars sympas et normaux comme moi. À moi de lui montrer ce qu'elle rate ! Restez connectés, la team !

ADOPTEZ LE LOOK VALENTINES !
DIX ROUGES À LÈVRES
QUI DISENT "TANT PIS
POUR TOI, MON GARS"

25

Que dit-on à une fille qui n'a jamais eu
recours à la chirurgie esthétique ?

T'es parfaite (pas refaite).

Les cascades, c'est pas mon truc, mais là…

— Et puis zut, je lâche en sortant par la fenêtre de
ma chambre, telle une ado dans un film américain.

J'habite le manoir Valentine depuis toujours. J'en
connais les moindres recoins, les moindres passages lam-
brissés de chêne, les moindres manteaux de cheminée en
marbre. Mais une fois perchée sur l'échelle de secours,
je découvre que je ne l'avais jamais vu sous cet angle. Le
fond de gouttière humide ; la mousse sur les tuiles ; les
rideaux noirs déchirés qui battent à la fenêtre de Mercy.

Je rabats ma capuche citron vert et scrute l'allée.
J'attends. Enfin, le portail électrique s'ouvre et une

Mini orange toute cabossée fonce sur le gravier, écrase un parterre de géraniums roses et renverse une statue d'Aphrodite sortant de son coquillage.

Soupir de soulagement.

— Oups ! lance Scarlett Bell par la vitre. Je lui ai coupé un nichon ! Désoléééé ! Ton digicode est trop facile à deviner, par contre !

La gorge nouée, je descends de l'échelle et redresse la déesse de l'amour. Puis j'inspecte la voiture de Scarlett. Toute rafistolée et couverte d'autocollants de voyage – *Paris, Venise, Mexique, Australie* – comme une vieille valise.

Je note aussi l'autocollant « conduite accompagnée ». Je stresse légèrement en ôtant les emballages de barres chocolatées qui encombrent le siège passager.

— Euh… Tu n'es pas censée… être accompagnée… par un adulte ?

Je ne juge pas, mais en même temps la statue coûte dans les trente mille livres.

— Nan, c'est bon, réplique Scarlett en enfournant une poignée de chips oignons-fromage. Tu as un permis valide, toi, non ?

Début de panique.

— Non.

— Ah bon ? (Yeux écarquillés.) T'es sérieuse ? Mais t'as… quoi, quarante ans, non ?

Elle blague. Elle blague, hein ?

— Non, juste… seize.

— Ah quand même. La vache. Bon, va falloir mettre la gomme si on veut éviter les flics, alors.

Petit sourire, Scarlett écrase le champignon, dévore l'allée en sens inverse puis braque à gauche si fort qu'elle valse contre sa portière.

Puis elle repère la tête que je fais et se marre.

— Je blaguais, Valentine. (Nouvelle poignée de chips : crrr crrr crrr.) J'ai eu mon permis il y a un mois. L'autocollant, ça m'évite juste qu'on me serre de trop près. La tronche que tu tirais, par contre !

Je me fige dans un silence ému tandis que nous traversons Richmond en trombe. Par où commencer ?

Alors voilà, mon chéri avec qui je suis depuis un an m'a trompée et maintenant j'ai les paparazzis aux fesses et les journaux qui me dissèquent comme une grenouille et je joue comme un pied et mon avenir vient d'imploser et j'ai ravagé ma chambre et je crois que je perds la boule et je t'ai appelée toi parce que je n'avais juste personne d'autre à appeler.

Ah, et je précise qu'on ne se connaît même pas. Et toi, la forme ?

Je retire ma capuche, frotte mon crâne chauve (impression d'être à poil, vulnérable, genre bébé écureuil) et je me lance :

— Scarlett… Tu as fait exprès de laisser ta carte par terre, pour moi ?

Petit coup d'œil dans ma direction.

— Évidemment, répond-elle. Ces trucs-là ça coûte un bras.

— Mais pourquoi ?

Elle réfléchit une dizaine de secondes puis penche la tête en arrière et vide le fond du sachet de chips dans sa bouche. Sachet qu'elle gonfle ensuite en soufflant dedans.

Elle l'agite – « ça, c'est toi » – puis l'éclate sur le volant – BOUM ! J'en sursaute.

Je regarde Scarlett et le sachet éventré. Puis, avec un long soupir, je souris et cale mon crâne rasé sur l'appuie-tête. Mon corps tout entier se relâche.

Pas la peine d'expliquer quoi que ce soit. Scarlett a tout compris.

Quand la Mini rouillée s'arrête enfin, il fait nuit. On est garées devant un immeuble. Un rectangle de béton gris, des fenêtres miteuses, du linge en train de sécher, suspendu aux balcons.

On reste assises un moment sans rien dire, à regarder le monde tourner, tranquilles.

Hope avait une gerbille quand elle était petite. On la trouvait tous tordante : elle courait comme une dingue dans sa petite roue jusqu'à ce qu'elle se gamelle, fasse deux tours emportée par son élan et soit éjectée, tout étourdie.

Là, moi, je suis à peu près dans le même état : déboussolée, les jambes qui galopent encore. J'essaie de comprendre où j'ai pu atterrir.

Mon téléphone tinte :

Je m'excuse trop, Eff'. C'était juste un smack. Parle-moi pitié. :(Nxx

Mon ventre se crispe direct et ma gorge se noue. J'observe le smiley triste. Est-ce que je devrais rappeler Noah ? Oui. C'était juste un smack, il est désolé et...
Mon téléphone re-tinte.

Salut, Faith. Tu n'as rien posté depuis vingt-quatre heures. Pour maximiser la satisfaction des followers et la réussite de l'algorithme, l'idéal est de poster trois fois par jour, alors je te propose qq options en pj (en cette période difficile).
Genevieve

Une photo de moi en crop top, ventre rentré, regard perdu sur l'océan (une de mes nombreuses séances photo gênantes). Légende : *Le jour nouveau apporte force nouvelle et pensées nouvelles – Eleanor Roosevelt #forceintérieure.*

La suivante : encore moi, sourire tendre, un chiot trop chou dans les bras. *Un esprit apaisé apporte force intérieure et confiance en soi – le dalaï-lama #ondespositives.*

La dernière : toujours moi, sur le tapis rouge, les mains sur les hanches. *Maîtriser les autres, c'est la force ; se maîtriser soi-même, c'est le vrai pouvoir – Lao-Tseu #canalisetonénergie.*

Hmm.

La nouvelle est tombée il y a environ six heures. Je n'ai même pas eu le temps de faire le point avec moi-même, alors me demander comment Eleanor

Roosevelt réagirait dans la même situation… Genevieve pourrait tout aussi bien écrire *FAITH A LE CŒUR BRISÉ MAIS ELLE RESTE DIGNE ELLE NE S'EFFONDRE PAS ELLE VA TRÈS BIEN VOYEZ DONC SES ABDOS ET COMMENT ELLE DÉCHIRE AVEC LES ANIMAUX UNE PERLE CETTE FILLE !*

Rien de tout ça ne reflète le fait que chaque fois que je pense à Noah j'ai l'impression qu'on me laboure le ventre. Et qu'on m'arrache les boyaux quand j'ai de ses nouvelles.

Mais bon, les règles sont les règles, quoi…

— Tu fais quoi ? m'interroge Scarlett, le front plissé en se penchant sur mon siège. Bah. Horrible, la photo. Pourquoi tu mates la mer comme ça ?

— Je…

— Et celle-ci, encore pire. C'est même pas ton chien, je parie ?

Les joues en feu direct.

— On l'avait emprunté pour que j'aie l'air… sensible. Je suis allergique aux chiens. Ils me filent de l'urticaire.

— Ha. Et Lao-Tseu, tu sais qui c'est, au moins ?

L'incendie se propage à tout mon visage.

— Non.

— C'est le vieux philosophe chinois qui a fondé le taoïsme, s'esclaffe Scarlett. Et mon petit doigt me dit que l'univers doit pouvoir survivre sans tes selfies et tes perles de sagesse détournées. En plus, une citation du dalaï-lama en jolies lettres bien rondes, dans le genre cri de désespoir...

Mon nez frémit. Pile ce que je me disais aussi mais...

— Tu ne comprends pas, j'explique à Scarlett qui se met de l'eye-liner noir face au rétroviseur. Je suis une Valentine. Tout le monde guette mes faits et gestes... j'ai des millions de followers... je dois entretenir une image positive... être un modèle... montrer de la force dans l'adversité, de la dignité et... et...

Scarlett m'observe, son eye-liner figé. Je ne me suis jamais sentie aussi toc de ma vie. Pas même quand la maquilleuse me dessinait des abdos à la bombe.

— Et tu fais toujours tout ce qu'on te dit, c'est ça ?

Silence.

— Oui, je finis par avouer.

— Okaaay, sourit Scarlett en ouvrant sa portière. On va commencer par là, tu veux ?

Un vieil ascenseur branlant nous fait gravir les étages de l'immeuble, et je perçois du tumulte. Des cris. Des rires. Des notes de basse. Des gens. Mon cœur accélère, la panique monte.

Les portes de la cabine s'ouvrent en grinçant.

J'hallucine direct en voyant une fille vomir du haut du balcon pendant qu'une autre lui tient les cheveux en arrière ; un garçon pleure, assis par terre ; un autre s'égosille, à dada sur le dos d'une fille (iroquoise rose).

Le dos raide, je regagne l'ascenseur.

Fuis.

— Bon, ben, je fais avec un sourire poli, c'était sympa de parler avec toi, Scarlett. Merci d'être passée me prendre. Ç'a été un vrai plaisir. Je viens de me rappeler qu'on m'attend à l'autre bout de la ville pour un événement très important.

J'enfonce le bouton de la cabine.

Clac.

Clac.

Clac-clac-clac-clac-clac-clac…

— Arrête, m'ordonne Scarlett en m'extrayant de l'ascenseur. Tu vas finir par le casser, et on sera tous obligés de prendre l'escalier.

Je baisse les yeux.

— Pardon.

— La vache, dit-elle en m'examinant le visage. Tu es un vrai cygne, toi, hein ? En surface, tu es zen de chez zen, mais sous l'eau tu as les pattes qui s'agitent de ouf…

Elle mime des pattes de cygne avec les mains.

J'en reste bouche bée.

— C'est juste une petite fiesta, reprend-elle en m'entraînant vers un minuscule appart'. Un truc intime. Tu as déjà été en soirée, non ?

Je découvre le chaos, mes paupières en mode papillon.

Il fait sombre et comme brumeux dans l'appart', qui n'est éclairé que par des loupiotes accrochées aux murs. Trois types de musique au moins se font concurrence, des canons à confettis explosent, il y a des assiettes et des bouteilles partout, pas loin de cinquante personnes qui rigolent, beuglent, dansent. C'est bondé, ça sue, ça chauffe, ça cogne.

Ce n'est pas une *soirée*. Qui dit soirée dit tapis rouge, liste d'invités, tenues de créateurs, chandeliers, serveurs, petits-fours, regards gênés et questions gênantes. Par réflexe, je lisse mes habits, j'entre en transe, je prépare mes répliques. D'un sourire, je me mords la joue et...

— Oublie un peu ta fossette en toc, me glisse Scarlett. Tu vas te faire un ulcère à la bouche.

Ça me la coupe, j'arrête de sourire.

— YO ! lance Scarlett par-dessus la musique. TOUT LE MONDE ! ELLE, C'EST EFF' ! C'EST UNE NOUVELLE ! ON DIT BONJOUR !

— Salut !

— La forme ?

— Sympa !

La fiesta continue.

— Qu'est-ce que je disais ? reprend Scarlett en se servant une boisson rose et me passant un verre. Tout le monde s'en fiche, Valentine. On s'en tamponne de savoir qui tu es ou ce que tu fais. (Petit sourire.) Cool, hein ?

Sois. Cool.

Mais aussi chaleureuse, Eff ; ne te la joue pas beauté glaciale.

— Je...

— Chiottes, annonce Scarlett. Pipi.

Sur ce, elle disparaît.

Mal à l'aise, je m'approche du micro-salon : sombre et gavé d'inconnus en nage qui se frottent les uns aux autres en gueulant. Il y a des spots qui virevoltent, une musique que je ne reconnais pas qui pulse sans rythme. Une masse pas bien coordonnée de sautillements, de bonds, de tourbillons.

— Tu danses ?

Je me tourne, ultra raide, vers un grand roux qui agite les bras comme un oiseau dans un documentaire animalier.

— Pardon ?

— Je disais TU DANSES ?

— Oui ! (Un coup d'œil à la piste improvisée.) Danse classique ! C'est très apaisant, une vraie hygiène de vie. Je la pratique avec bonheur depuis que…

J'interromps ma réponse officielle le temps de promener mon regard sur les danseurs déchaînés.

— Non, je finis par reconnaître, les joues rouges. Pas vraiment.

— Danse avec moi, alors ! enchaîne l'inconnu.

Il me prend par la main. De sa main libre, il chasse des chauves-souris invisibles. On se trémousse comme on peut deux minutes, le temps que je trouve le moyen de dissiper la gêne.

— EUH ! je hurle pour couvrir la musique et me penche vers le roux. COMMENT APPELLE-T-ON UNE MINUSCULE DANSEUSE ?

— UNE QUOI ? me répond le garçon, les yeux fermés.

— UNE MINUSCULE DANSEUSE.

— HEIN ?

— UN PETIT RAT… COURCI !

— DE QUOI ?

— C'EST UNE… (Mes joues en feu. *Gros flop.*) Pas grave ! J'ai été ravie de te rencontrer ! Merci pour cette danse ! Je vais prendre un verre ! Au revoir !

Le garçon hoche la tête avec un large sourire, les yeux toujours fermés.

Raide comme un balai, je tente de me rapprocher du coin cuisine.

— Excusez-moi, je roucoule en tapotant des épaules qui s'en fichent. Excusez-moi, s'il vous plaît.

Pardon-pardon, excusez-moi, ça ne vous dérange pas si je…

Et là je me fige.

Un garçon aux longs cheveux bruns est assis sur l'accoudoir du canapé, penché sur sa guitare. Il est à fond dans son jeu même si on n'entend rien à cause… des autres musiques.

Je fais un pas vers lui.

— Noah ?

Le mec lève les yeux, et forcément ce n'est pas lui : mauvaise guitare, mauvaise posture, mauvais look, mauvaise soirée, mauvaise coupe, mauvais sourire, mauvais garçon.

Par contre, son sourire me tue.

Noah.

Et brusquement, la photo de l'after n'est plus une photo : elle se joue en live devant moi. La forme des lèvres que je connais si bien ; l'arôme de café dans son haleine. Noah la connaissait-il d'avant ? Avait-il maté cette blonde pendant tout l'after ? Et elle, elle le matait aussi ?

Lorsqu'elle a souri à mon chéri, lui a-t-il souri aussi ? Combien de temps m'a-t-il oubliée ?

Parce que « juste un baiser », ça n'existe pas. Autrement, je pourrais m'avancer vers cet inconnu et le galocher moi aussi.

Le guitariste craquant me fait signe de venir m'asseoir alors je m'avance, angoissée.

Peux pas, peux pas, peux…

— Gaffe ! gronde une fille que je bouscule. (Explosion de chips à la crevette.) Bien joué, la vedette. C'était le dernier sachet.

Je bats des cils ; elle s'approche d'un placard.

La tête me tourne encore mais je me mets à ramasser les chips, que je mets dans un bol. Par terre, c'est l'horreur, je ramasse d'autres bouts de biscuits. Il y a aussi des taches de sauce : je récupère une serviette en papier sur la table et les essuie. Ensuite, je m'attaque à une petite flaque de soda au milieu du...

— Pfff. Je te laisse, quoi... six minutes ? et toi tu fais quoi, là, en fait ?

Je lève les yeux. Scarlett.

— Un peu de ménage.

— Je vois, oui. Mais je te demande *pourquoi*.

Elle croise les bras. Je me fige, ma serviette en boule dans la main.

— J'avais renversé des chips, j'explique lentement. Alors j'ai nettoyé. Et puis j'ai découvert d'autres saletés... donc j'ai voulu nettoyer aussi. Sérieux, ça évitera que les taches s'incrustent. Pense au propriétaire. C'est logique.

— Donc... tu nettoies le bazar des autres, récapitule Scarlett en levant les yeux au ciel. Ne va pas croire que tu es responsable de tout, Faith Valentine.

— Je sais bien mais...

— Non, tu ne sais pas. Tu te cherches juste des excuses pour ne pas t'éclater pour de vrai. Alors arrête.

Je tressaille.

— Encore deux...

— Debout. Et que ça saute.

— J'ai juste à…

— *Debout.*

Les sourcils froncés, Scarlett s'empare d'un flacon de sauce barbecue qu'elle vide à côté de moi.

— Et ça, tu vas le nettoyer aussi ? me provoque-t-elle.

Je mate la tache marron.

— Et ça ? (Une giclée de moutarde.) Et ça ? (Mayonnaise.) Et ça ? (Ketchup.) Hein ? Tu comptes frotter toute la nuit, parce que moi je me lâche ?

Je ne sais plus où j'en suis.

Pourquoi ? Pourquoi agir ainsi ? C'est irrespectueux, c'est indélicat, c'est absurde.

Une giclée de ketchup m'atteint en plein front.

Je me lève.

— Qu'est-ce qui te prend ?

— Je. (Nouvelle giclée.) Te Montre. (Mayonnaise.) Que les conséquences. (Ketchup.) C'est pour demain.

Je m'essuie le visage : mon sweat a des faux airs de hot-dog.

— La vie, c'est aujourd'hui, me lance Scarlett.

Ça me tiraille dans la poitrine et soudain quelque chose se décroche.

Je mate cette fille.

— Les conséquences c'est pour demain ? je répète lentement. La vie c'est aujourd'hui ? C'est la citation la plus cucu que j'aie jamais entendue. Laisse tomber Instagram, fais-la plutôt broder sur un coussin.

Scarlett ouvre la bouche.

173

— Ou imprimer sur un magnet pour frigo. (J'attrape le ketchup et lui en balance une dose.) Ou une serviette de table. (Moutarde.) Ou un sticker pour pare-chocs, ou une coque de portable. (Mayo.) Ça en jetterait, avec une belle écriture et des papillons autour, des fleurs, et aussi...

On se tord de rire toutes les deux.

— C'est bon, Valentine, renifle Scarlett en me collant un petit direct à l'épaule. N'en rajoute pas non plus.

Je lui rends son direct.

— T'es sûre ? Tu ne veux pas encore un peu de moutarde ?

Et tout ce qui était crispé en moi se détend et disparaît.

— Yo, Letty ! lance un mec (une vraie asperge) en claquant un *high five* à Scarlett. Merci pour la soirée ! On remet ça vendredi dans un mois ?

— Ah mais non mais carrément quoi, plaisante Scarlett.

J'arrête de rire direct.

— Une minute.

L'appart' est un champ de bataille jonché d'assiettes et de verres ébréchés ou fracassés, on marche sur de la nourriture qui s'incruste dans la moquette, les chaises sont pétées, ça saute sur les canapés, les lumières clignotent, les voisins cognent à la porte.

— Scarlett, on est *chez toi* ?

Coup d'œil à toutes les sauces qui imprègnent la moquette. Grosse bouffée de culpabilité.

— Oh, fait Scarlett avec un petit haussement d'épaules. Ouais. En même temps, si je veux faire broder ma devise sur un coussin, il faut bien que je montre l'exemple, non ?

— En mettant du ketchup partout ? je réplique sans réfléchir.

— Voilà, s'esclaffe Scarlett en me prenant par le bras. Et maintenant, à nous le bazar.

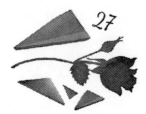

— Tu étais passée où ?

Il est 4 heures du mat' quand enfin je rentre dans ma chambre par la fenêtre. À cette heure, normalement, ou bien je scrute le plafond, ou bien je me débats dans un cauchemar, ou bien je me prépare pour un méga-footing.

Sauf que là, je ne me sens de faire rien de tout ça.

— Hmm ? je réponds en m'écroulant de fatigue sur mon lit. Quoi ?

Mercy est assise en tailleur sur mon tapis, en mode Aladdin choqué.

— Tu es *sortie*, explicite-t-elle avec un coup d'œil à sa montre. Pour aller où ?

— Ah, euh. (Je me frotte la figure, épuisée.) J'ai juste voulu… courir un peu.

— Et t'as percuté une baraque à frites ? gronde Mercy.

— Hmm-hmm. (Pas faux : je colle à ma couette.) Je me suis étalée sur un sac-poubelle dans le parc.

Je ferme les yeux. Deux secondes plus tard, je sens le souffle chaud de ma sœur sur ma figure : elle me renifle comme un chat soupçonneux.

— Tu *pues*, grimace-t-elle (oui, même les yeux fermés, ça s'entend). Et ton miroir, tu peux m'expliquer ? Un oiseau est entré par la fenêtre et s'est cogné dedans ? Enfin, quoi, tu… Enfin, euh. Ça va, toi ?

J'ouvre un œil, estomaquée. *Mercy Valentine vient-elle de me demander comment je vais ? Une question que j'essaie de lui apprendre à poser depuis des années…*

— Oui, ça va.

Il ne lui vient pas à l'idée que j'aie pu fracasser mon miroir exprès. Intéressant. Pour elle, je suis juste victime d'un pigeon égaré.

Le sommeil m'envahit par vagues, alors je retire comme je peux mon sweat cradingue et le jette au loin. Micro-culpabilité – *ramasse-le, Faith ! Plie-le comme il faut ! On ne traite pas ses affaires comme ça !* Et je me tourne sur le côté.

Les conséquences c'est pour demain.

La vie c'est aujourd'hui.

Oui, bon, on est déjà demain mais ne prenons pas tout au pied de la lettre.

— Je rêve ou tu as balancé ton…, s'étouffe mon aînée. Bon sang, Eff'. Tes *cheveux*, qu'est-ce qui t'a pris ?

Je hausse les épaules dans l'oreiller.

— Envie d'un nouveau look.

— Ben voyons. *Un nouveau look.* Je trouve quand même qu'il ressemble pas mal à celui de ton gros naze d'ex volage. Ça t'arrive de penser par toi-même, Faith ?

À ces mots, ma fatigue s'envole. Je me redresse, fixe ma sœur du regard. Alors déjà, Noah n'est pas mon ex – ça fait à peine un jour que c'est arrivé. Je ne sais même pas où on en est. Ensuite, elle me croit vraiment crevarde au point de me raser la tête pour un *mec* ?

— Pardon ?

— Tu fais comme lui, c'est ça ? Pour le récupérer. (Elle me fusille du regard.) Limite pathétique, Faith. Le prends pas mal.

Comme si *le prends pas mal* annulait toutes les vacheries qui précèdent. Ça les renforce au contraire.

Quelque chose claque en moi.

— Mercy, dégage.

— Mais…

— *Sors de ma chambre.*

Ma sœur me scrute tandis qu'une nouvelle vague de colère déferle en moi. Mes oreillers blancs striés d'eye-liner, mon tapis couvert de cheveux, ma couette poisseuse de transpiration, ses pieds gelés sur mes cuisses, ses gémissements quand elle dort, l'invasion totale de mon intimité chaque nuit.

Pareil que si je vivais avec un chien errant ultra ingrat, or *je n'aime pas les chiens.*

— Eff', relance Mercy, les mains tendues. Je me trompe peut-être. Ça ne voulait pas forcément dire que…

— DEHORS ! je m'écrie en bondissant. DE-HORS !

J'attrape mon aînée sous les bras et la traîne vers la porte. Avec une facilité surprenante. Qui aurait cru que mes séances muscu serviraient à autre chose qu'à nourrir Instagram ?

— Oh. Faith. (Sous le choc, Mercy passe en mode serpillière.) C'est bon quoi. Détends-toi. Je disais juste que…

Je la balance dans le couloir si sèchement qu'elle retombe sur les fesses.

— LÂCHE-MOI.

— Mais… Mais où je vais dormir ?

— TU AS UNE CHAMBRE, MERCY. OU BIEN TU PEUX DORMIR DANS LE COULOIR. SOUS L'ESCALIER. SUSPENDUE PAR LES PIEDS À UNE POUTRE COMME UNE CHAUVE-SOURIS. JE M'EN MOQUE. MAIS LAISSE-MOI RESPIRER !

Je claque la porte et tourne la clé.

Clic.

Puis je me roule en boule dans mon lit vide et silencieux, et je plonge dans un sommeil profond.

28

C'EST LA FAITH !

Fais pas cette tête, Faith ! (Ci-contre, avec sa nouvelle coupe... osée.) La célibataire de rêve attise les convoitises. Dylan Harris – star de *Wolfgang* et vieil ami de la famille – nous a confié en EXCLU avoir une « connexion spéciale » avec Faith et que « leur heure a peut-être sonné ». L'ex de la belle, ce coureur de Noah Anthony, déclare pour sa part qu'il « [n'abandonnera] pas comme ça ».
Qui va gagner ? On vous le dit dès qu'on sait !

TÛÛT.
Tûût-tûût-tûût-tûût-tûût-tûût...
— À LA DOUCHE, VALENTINE ! braille Scarlett tandis que je passe la tête par la fenêtre de ma salle de bains, le lendemain, pas fraîche du tout.

ET APRÈS TU DESCENDS ! ON VA FAIRE UN TOUR !

Nouveau coup de klaxon. Ne me demandez pas pourquoi.

TÛÛT.

Cette fois, la Mini orange a atterri à moitié sur notre patio, avec les roues arrière qui labourent la pelouse. Coup d'œil à ma montre : même pas 10 heures, j'ai donc dormi moins de six heures. Un record !

— *OÙ ÇA* ? je lui rétorque.

— N'IMPORTE !

Et je me rends compte que, pour la première fois depuis des mois, je n'ai rien à faire ni personne à voir aujourd'hui. Du coup, je sors de la douche et nettoie les restes collants de la fiesta d'hier soir.

Puis je descends prudemment l'échelle de secours. Bon, je pourrais prendre l'escalier mais je n'ai pas envie de tomber sur Mercy. Elle risquerait de me pousser. Dans l'escalier, oui.

— Tiens, me fait Scarlett en dévorant une barre de céréales alors que j'enlève une fois de plus les sachets vides du siège passager. Nutrition.

Elle me passe ensuite une tasse de ce qui doit être une glace à la fraise fondue. Avec paille. Je l'accepte quand même et dis merci.

— Cramponne-toi, ma vieille, lâche-t-elle avant de mettre la musique à fond et de démarrer à fond aussi.

Le portail franchi, elle tourne à gauche et on enfile les faubourgs de Londres jusqu'à ce que la grisaille s'estompe et que tout ne soit plus que verdure. Ça me remonte le moral.

On chante en secouant la tête. Je sirote mon milk-shake. Slurp. Le soleil nous dore les joues. Et perso je commence à me sentir… un peu *différente*.

Légère, étourdie, désorientée.

— Tu sais, je déclare dans un décor qui semble tout droit sorti d'un film d'époque, je ne t'aurais pas crue fan de nature.

— Ah mais je suis londonienne avant tout, déclare Scarlett en secouant la tête à son tour. Par contre, j'aime bien voir un arbre de temps en temps. Histoire de me rappeler que j'adore le béton. Moi je dis : qu'on les abatte tous.

Je pouffe – slurp – et la pauvre Mini galère dans une montée sévère.

Mon portable tinte :

Premier matin sans SMS de toi depuis un an. Tu me manques. :(N

Je repose direct mon milk-shake.

— C'est qui ? m'interroge Scarlett avec un petit coup d'œil. On dirait que tu viens de te fourrer une aiguille à tricoter dans le pif.

La Mini bascule sur l'autre versant dans un rugissement de soulagement.

— Noah, je réponds en consultant mon téléphone qui re-tinte.

— Ah.

Mon cœur est brisé. Je n'arrive à rien sans toi. Je t'en supplie, parle-moi. :'(N

On en est donc au stade des smileys chouineurs. Mon ventre se contracte.

— Je vais devoir l'appeler, je souffle en baissant la musique presque à zéro. Pardon.

Mon doigt reste ensuite suspendu trois secondes au-dessus du numéro de Noah. Je sais très bien comment la conversation va tourner. *Il ne sait pas ce qui lui a pris, il est en vrac, c'était un accident, est-ce qu'on pourrait se voir et en parler ?* Et moi je finirai par répondre : *Toi aussi tu me manques, je comprends, on fait tous des erreurs, on peut se voir oui bien sûr, à dans une heure.*

Bingo. On se remet ensemble et ça repart. Que du bonheur, non ? Alors pourquoi j'ai un mal fou à appuyer sur le bouton d'appel ?

— Rien ne t'oblige à quoi que ce soit, m'indique Scarlett tandis que je ramasse mon milk-shake pour en mâchouiller nerveusement la paille. Tu le sais, hein ?

— Bien sûr, j'acquiesce. Mais il faut que…

— Que rien du tout, Eff'.

— Je sais, je sais… (J'ai quand même le regard fixé sur le nom de Noah dans mes contacts.) C'est juste que… Je ne supporte pas de le savoir seul, triste, de me dire qu'il m'appelle à l'aide et que moi…

— Que toi tu ne t'exécutes pas dans la seconde ?

— Non, ce n'est pas ça… (Je tords la paille.) Je ne supporte pas de… d'être la cause de son malheur.

Scarlett glousse.

— Attends, son malheur il se l'est causé tout seul, tu t'en rends compte, non ? Parce que, à moins que tu sois allée scotcher la bouche de l'autre blonde sur ses lèvres, tu n'es pas responsable de ce bazar.

Je tressaille légèrement.

— Non, mais…

— Comment tu te sens, *toi*, Eff ?

On roule dans la forêt, le soleil filtré par les branches clignote sur nos visages.

— Oublie Noah un instant, insiste-t-elle. Tu veux quoi, *toi* ?

Je ferme les yeux un court instant. Je tente d'imaginer l'avenir malgré toutes les émotions qui s'agitent en moi.

Grosse, grosse pagaille.

— Je n'en sais rien. Du temps pour faire le point ?

— OK, demandes-en.

Hein ? Ça se fait, ça ? J'ai le droit ? Je mâchonne ma paille une minute puis j'envoie :

Tu me manques aussi mais j'ai besoin d'un peu de temps et de liberté pour me remettre la tête à l'endroit, stp. Merci. Fx

Une seconde plus tard, ding :

APPEL ENTRANT : Noah

Mon estomac se retourne. Je refuse l'appel ; il revient direct…

APPEL ENTRANT : Noah

Refus. Retour…

APPEL ENTRANT : Noah

Refus. Et retour…

APPEL ENTRANT : Noah

On va visiblement avoir droit à cette conversation, que je sois prête ou non. Je décroche.

— Allô ? Noah, je…
La Mini pile ; mon portable disparaît.
— Qu'est-ce que… ?
— Tu as demandé une fois, explique Scarlett en coupant mon téléphone avant de le caler sous ses fesses. Tu ne devrais pas avoir à redemander.
Elle remet la musique à fond.
— Et maintenant détends-toi, Valentine, et profite de la balade.

29

Pourquoi les plantes vont-elles chez le dentiste ?

Pour un curetage des racines.

Scarlett repasse le lendemain. Et le jour d'après.

Chaque matin, je saute dans sa Mini orange, j'ai droit à un petit déj' bien gras, puis on met la musique au max et on décampe : on roule, on mange, on chante, on parle, on rigole.

Le quatrième jour, quand elle déboule, dégomme une jardinière à cinq étages et klaxonne sept fois, j'hallucine de l'avoir trouvée intimidante au début.

Pour la première fois depuis je ne sais pas quand, je ne suis plus prisonnière de ma vie, je me sens libérée. Et c'est *l'extase*.

Tûût. Tûût. Tûûttûûttûûttûût...

— J'ARRIVE ! je lance, guillerette, la tête penchée à la fenêtre en faisant coucou. T'EXCITE PAS MÉMÉ...

— Ouaah ! s'exclame une voix dans mon dos. On sort par les fenêtres, maintenant, Eff' ? Trop cinoche, quoi ! Genre, moi, j'ai pas d'échelle de secours, mais je pourrais grave grimper sur le bord et sauter jusqu'à la tienne, avec un peu d'entraînement.

Je me fige, un pied sur l'appui de ma fenêtre.

Hope est à ma porte, sa bouille resplendissante d'optimisme, et moi je me glace. Pas question de lui donner l'idée ou l'envie de sauter de sa chambre à la mienne pour faire comme moi.

Les conséquences c'est peut-être pour demain, mais je refuse de retrouver Hope fracassée dans l'allée demain.

— Je ne descendais pas ! je m'esclaffe en rentrant fissa. C'est *très* dangereux, Hope. Promets-moi que jamais, jamais, tu ne sortiras par ta fenêtre, d'accord ? Là, juste je... voulais voir... si... en fait... il... pleuvait ou pas.

La pluie bombarde carrément ma fenêtre. Pire actrice du monde.

— Il pleut, confirme Hope au premier degré. D'où toute cette eau !

Puis elle se jette sur mon lit et contemple ma chambre avec sa fascination habituelle.

— Ça fait trop longtemps que je t'ai pas vue, Eff', reprend-elle, tout essoufflée. Et j'ai trop de trucs à te dire. Ben m'apprend à jouer au Scrabble ! Mais j'ai le droit d'inventer des mots parce qu'il dit que c'est ma spécialité.

— Trop sympa, je pouffe.

— Ça te dit de le voir ? Lui, je sais qu'il en peut plus d'attendre.

Oh non mais...

— Je suis un peu charrette, Po. Tu veux bien l'occuper en mon absence ?

— Oui, accepte-t-elle avec gravité. Avec moi, on ne s'ennuie pas. Du moins, c'est ce que dit Ben. Ah, et au fait, Effie, steuplé-steuplé-steuplé, je peux toucher ta tête ? Les journaux parlent que de ça, je suis ta sœur, et j'ai même pas encore pu le faire ! *Steuplééé* !

Un petit sourire et je retire mon bonnet crème.

Les paparazzis ont shooté mon crâne rasé l'autre jour, et depuis les médias nationaux traitent le sujet en profondeur. Sans arriver à décider si j'ai le cœur brisé, si je déprime, si je lutte pour la cause féministe, si j'essaie d'attirer l'attention ou si juste je teste le look soldat.

Bref, tout le monde a son opinion. En plus, de parfaits inconnus se sont mis à venir me toucher le crâne sans demander la permission.

— Oh, mais purée ! s'exclame Hope en me caressant la tête comme si c'était une boule de cristal. Trop cool ! Les mag' disent que t'es encore plus belle sans tes cheveux et je suis d'accord de ouf, t'as grave lancé une tendance !

— Merci, bébé. (Je lui claque une bise.) En plus, je cours 15 % plus vite. Moins de résistance au vent.

Hope ouvre de grands yeux.

— T'es sérieuse ? Du coup moi, je...

Elle attrape sa queue-de-cheval d'une main et les ciseaux sur mon bureau de l'autre. Je lui arrache les ciseaux et remets mon bonnet.

— Non. Hope, tu ne touches pas à tes sublimes cheveux.

— D'aaaccord, soupire-t-elle en en faisant des caisses. (Je ramasse mon sac et me dirige vers la porte.) Pas grave, c'est parti, Rémy.

Pause.

— Pardon ?

— C'est parti, Rémy, répète ma sœur en levant les yeux au ciel. C'est ce qu'on dit quand on accepte un truc mais qu'on est trop dégoûté. Par contre, me demande pas qui c'est Rémy.

J'éclate de rire.

— Tu veux dire « Ce n'est que partie remise ». Mais continue à dire ça, j'adore. Et tâche de ne pas t'ennuyer avec Ben, OK ?

Un baiser volant et je dévale l'escalier d'une façon que Hope pourra imiter sans se blesser.

Mon téléphone tinte.

Hé. Qu'est-ce qu'il faut que je fasse ? Dis-moi. :(:(Nxx

La gorge nouée, je réponds :

Besoin d'un peu de temps encore. Dsl. Fxx

Moi aussi je souffre – forcément – mais je n'arrive toujours pas bien à mettre des mots sur ce que je ressens. Je ne sais pas trop ce que je veux lui dire.

Ding.

Stp ne sors pas avec Dylan Harris. :(

Ah bon ? Et pourquoi pas ?

Stp n'embrasse pas d'autres filles. Oups. Trop tard.

Bien énervée, je fourre mon téléphone dans ma poche.

La vie c'est aujourd'hui.

— Salut, Letty ! je lance en ouvrant la porte d'entrée. Alors, on va où ce matin ? Je me disais qu'on pourrait prendre l'autoroute, cap au nord et...

Soudain, une autre voiture s'avance dans l'allée. Grosse berline. Gris métallisé.

On est quel jour ? Pitié, pas mercredi. On est mercredi, c'est ça ?

Non, non, non, non, non...

Je claque la porte derrière moi, déboule sous l'orage et me jette sur le siège passager de la Mini de Scarlett.

— Vite ! Roule-roule-roule ! Roule !

— Waouh ! plaisante Scarlett en empoignant le levier de vitesses. Tu viens de faire un casse, ou quoi ? On se partage le butin ?

Oh mais abrège.

— ROULE ! je m'égosille tandis qu'elle s'excite sur la clé de contact.

— Elle démarre jamais du premier coup, la mémère, bouge pas, c'est un coup à prendre, y a qu'à...

— SCARLETT, DÉMARRE ET ROULE, À LA FIN !!!

Trop tard. Genevieve est descendue de la limo, elle se tient derrière la Mini, nous bloque la route. Il pleut des cordes, elle est trempée jusqu'aux os, pourtant elle reste immobile, elle ne bat même pas des cils. Genre film d'horreur.

— ÉCRASE-LA ! je hurle. Non. Oublie. Juste...

— Faith ? m'interpelle Genevieve. Je vais te demander de venir avec moi.

30

Qu'obtient-on si on ajoute une aile à un faon ?

Un aile et faon (un éléphant).

C'est pas avec des blagues pourries que je vais m'en tirer, ce coup-ci.

— Salut, Genevieve, je dis prudemment tandis que la limo démarre avec moi à bord, une fois de plus. Alors… comment va ?

Comme si je ne venais pas de gueuler *ÉCRASE-LA*.

— Bien, merci.

L'assistante de ma grand-mère porte son uniforme de mémé : jupe crayon en velours côtelé, châle écossais à pompons sur les épaules. Le tout a l'air flambant neuf. Mais où est-ce qu'elle s'achète des trucs pareils ?

— Tant mieux. (Petit coup d'œil par-dessus mon épaule.) Tant mieux.

Scarlett nous suit en mangeant des biscuits. Elle me fait coucou – elle conduit avec les... genoux – puis un signe : *Appelle-moi.*

J'acquiesce, je grimace et me retourne vers Genevieve. Adieu la liberté. Mes petites vacances loin de la réalité sont bel et bien finies, on dirait.

— Et donc... Où est Grand-mère ? Est-ce que... elle va bien ?

— Ta grand-mère ne va pas pouvoir te donner ta leçon aujourd'hui, Faith. Elle organise les événements caritatifs de l'an prochain.

Tsunami de soulagement en moi. Je me cale contre le dossier de la banquette. Mais me redresse aussi sec. *Aïe.*

— C'est quoi ce...

Je récupère dans le bas de mon dos un collier en or avec un pendentif pointu.

— Des cadeaux, m'indique sans enthousiasme Genevieve. Ton agence les a fait suivre. Ils sont bombardés de déclarations d'amour depuis trois jours. Il va sans dire que j'ai déjà éliminé les sans-espoir.

Je fouille l'immense sac duquel le collier est tombé. Un ours en peluche flippant ; une montre en platine ; un coffret de macarons pastel ; un bracelet en améthyste ; un flacon de parfum hors de prix (il y a encore l'étiquette) et une masse de chocolats, des fleurs, etc.

— Les sans-espoir ? je répète d'une toute petite voix.

— Les mauvais candidats. Des mecs sans charme ni envergure. Le genre qui envoie des biscuits au gluten malgré les risques que ça implique, tu vois ? Lady Sylvia a validé la liste.

Elle ouvre mon carnet doré à une nouvelle page. À droite, les photos (des mecs canons) ; à gauche, les âges, origines, carrières, centres d'intérêt.

L'horreur.

L'un d'eux a confié au *Sun* que j'étais « sexy *muy caliente* » ; un autre a déclaré publiquement qu'il avait « grave hâte de tenter sa chance ». Ça me débecte tellement que je ne peux en lire plus. Je lève les yeux, de plus en plus perdue.

— Mais… Noah est toujours mon copain, Genevieve. Et même, je ne suis pas prête à…

— Le monde ne doit pas te considérer comme une carpette, Faith. Si tu ne montres pas que tu as tourné la page, ta réputation en sera ternie à jamais : Faith Valentine, Bouleversée, Rejetée, Faible.

J'ouvre la bouche.

— Sauf que je n'ai pas tourné la…

— À ce propos, j'ai remarqué que tu n'avais rien posté sur toi depuis près de CINQ JOURS. (Elle me montre son portable.) Tu ne peux pas disparaître comme ça. Le silence est plus éloquent que les mots, et le public sait lire entre les lignes, *surtout* s'il n'y a rien d'écrit. Heureusement pour toi, je suis là.

Genevieve appuie sur ENVOYER, mon téléphone tinte.

Une photo de moi, photoshoppée, apparaît : le jour se lève, je suis installée dans le fauteuil suspendu de notre jardin, vêtue d'une combinaison en dentelle blanche, un bras sous la tête. Je me souviens de cette séance. Max trouvait que je ressemblais à une invalide du XIXᵉ siècle après un gros, gros repas.

Je lève les yeux.

— Mais...

— Je songeais à : *Si vous ne pouvez pas me supporter pour le pire, nul doute que vous ne méritez pas le meilleur.* Positif mais cinglant. Qui s'assume. Respectueux de ta douleur.

Mes narines frémissent. Et Scarlett qui croyait que la citation du dalaï-lama était l'ultime étape avant la crise... Une citation de Marilyn Monroe, c'est quoi, le chant du cygne ?

— Mais...

— Ce n'est pas négociable, Faith, me coupe Genevieve, les yeux plissés. Ta grand-mère s'est montrée on ne peut plus claire. Et mon travail, c'est de faire en sorte que tu lui obéisses.

— Oui. D'accord.

Sur ce, je poste la photo et la citation sur toutes les plateformes. Cinq secondes plus tard...

Tu m'INSPIRES trop ! Xxx

Du nerf, meuf ! Tu peux trouver GRAVE mieux !!!!!

Waaa le fauteuil je veux le même

Il y en a toujours qui s'intéressent aux accessoires.

— Bref, je t'ai imprimé la liste des mecs, embraie Genevieve en me tendant une feuille. Prends le temps de l'étudier.

Courte pause.

— Enfin, d'ici demain matin, ajoute-t-elle en pianotant sur son écran. Il faut garder le rythme, autrement les médias vont pondre leur propre version des événements.

Je parcours la liste. Nausée. Ed, Elijah, Timothy, Jim, Toby, Jeremy, Dylan, Robert... on dirait un assortiment de bonbons collés les uns aux autres. Sauf que ce sont des chéris potentiels.

Et que je n'en ai choisi *aucun*.

La limousine s'arrête. Par la vitre, je découvre une jolie place : des arbres bien taillés, des maisons de style avec perron en pierre.

— Hmm... Ne le prends pas mal mais... (*ÉCRASE-LA*) Si Grand-mère ne me donne pas ma leçon... qu'est-ce qu'on fait ici ?

Je pensais que la balade n'était qu'un prétexte à une séance Critiques & Reproches mais apparemment on n'est pas arrivées n'importe où. Pourvu que ce ne soit pas chez un prétendant.

— Comme tu le sais..., indique Genevieve en lissant sa jupe (le velours fait vvtttt), ta grand-mère a de nombreux contacts dans le milieu du cinéma. De grandes amitiés, forgées au fil des décennies, et soumises à la plus grande discrétion.

Oh. *Ooooh*. Je crois que je vois...

— Il lui a été rapporté que tu avais peut-être besoin de... d'un peu d'aide. D'un peu plus d'encouragements qu'elle n'a le temps de t'en offrir.

Je ferme les yeux un instant. Honnêtement, à ma dernière audition, j'ai eu du bol de ne pas me faire jeter comme une malpropre.

— Elle sait que je joue mal, c'est ça ?

Genevieve sourit. Pour la première fois depuis que je la connais (un an), elle fait son âge. Dans un hochement de tête espiègle, elle répond :

— Oh, Faith. Elle sait que tu joues *comme un pied*.

31

Je sais où on est.

Un quart de seconde, j'ai envie de me rebeller : sauter de la limo et disparaître dans Soho. Mais à quoi bon ? S'il y a bien une actrice qui a besoin de conseils de pro, c'est moi.

— C'est un atelier théâtre de quatre jours, il a commencé hier, explique Genevieve tandis que le chauffeur nous ouvre la portière. Mais ta grand-mère estime que tu peux très bien n'arriver que le deuxième jour. Tout le monde te connaît déjà.

Je tique.

— Charmant. Merci.

La boule au ventre, je la salue poliment, descends de voiture et me dirige vers la réception. Dans le silence ambiant, on perçoit des cris, des rires et des pleurs à travers les portes. Ailleurs qu'ici, ce serait inquiétant.

— Bonjour, Faith, me lance le réceptionniste à l'instant où j'ouvre la bouche. 7 B. Troisième étage, deuxième à droite. Ne fais pas de bruit, s'il te plaît. Le cours a déjà commencé.

Les démangeaisons se réveillent dès les premières marches. Le temps que j'arrive à la porte du 7 B, j'ai la gorge nouée, le front en nage, les jambes molles et les pupilles en feu.

Et si j'étais *allergique* à l'art ? Genre rhume des foins hardcore... Tout ce qui est création me répugne au point que le simple fait d'entrer dans ce bâtiment met mon corps en panique.

Je pousse délicatement la porte. Huit jeunes d'environ mon âge sont allongés par terre – sur le dos, les paupières closes, bras le long du corps. Un instant, j'ai l'impression d'assister au final d'une tragédie shakespearienne, et puis je m'aperçois qu'ils fredonnent tout bas.

— Mmmmmmmmmmmmmmm.

— Entre ! m'invite le professeur, tout bas.

Cheveux et barbe poivre et sel, pull gris, pantalon anthracite : un lézard, version théâtreux.

— Trouve-toi une place ! Ne dis rien !

Je bats des cils. Comment ça, une place ?

Je retire mes baskets et m'approche sur la pointe des pieds.

— Pardon, je chuchote. Désolée. Oups, je veux juste glisser un orteil... mince, pardon, c'était ton doigt ?

Le prof fronce les sourcils alors je m'allonge fissa dans un coin, en L, je ferme les yeux et j'envoie du « mmmmmmmmmmmmm » bien sagement.

— Oooooooooooooooooooo, enchaîne le prof.
— Ooooooooooooooooooooooooooo, fait la classe.
— Eeeeeeeeeeeeeeeeeeeeeeeeeeeeeeeeeeeeee.
— Eeeeeeeeeeeeeeeeeeeeeeeee.
— Aaaaaahhhhhhhhhhhhhhhhhhhhhhhhhhhhhhh.
— Aaaaaahhhhhhhhhhhhhhhh.
— Laissez-vous porter. Ressentez le changement qui visite les différentes parties de votre corps. Chaque son produit une sensation nouvelle. Explorez ce que vous éprouvez dans chaque état.
— Mmmmmmmmmmm – oooooooooooo – eeee eeeee.

Je rouvre les yeux et décide de zapper ce passage, d'attendre que le vrai cours commence. Je fais déjà du yoga, les délires hippies, c'est sympa deux minutes mais il y a des limites.

Claquement de mains.
— Bien ! Debout ! On marche autour de la salle ! On se regarde dans les yeux ! Vous marchez dans la rue ! Il fait beau !

Je me lève d'un bond et me mets à aller de-ci de-là. Mes camarades accrochent mon regard et en restent bêtes – *Faith Valentine ? Qu'est-ce qu'elle fiche là ?* Du coup je rougis et baisse les yeux.
— Il pleut ! Tonnerre ! Éclair !

Les autres partent au galop, un imper imaginaire au-dessus de la tête, jetant des coups d'œil au ciel, sursautant comme si la foudre venait de claquer. Je fais pareil, même si je n'entends que la génératrice qui cliquette à côté.

— Vous allez quelque part où vous n'avez pas envie d'aller ! Vous traînez les pieds ! Vous cherchez à être en retard !

Tout le monde ralentit, moi aussi.

— Il fait une chaleur monstre !

Ils retirent tous leurs pulls, s'éventent, s'essuient le front. Moi aussi.

— Vos yeux sont des billes noires !

Les paupières plissées, on tâtonne, on se cogne partout.

— Bien, formez un cercle !

Je joins les bras au-dessus de ma tête, m'accroupis, me rends la plus ronde possible. Quelqu'un ricane, je lève les yeux : les autres sont installés en cercle autour du professeur, ils me regardent.

Oh je vous jure...

Humiliée, je me redresse et les rejoins.

— Et maintenant, ordonne le prof en nous observant, prenez une chaise. À mon signal, dites à cette chaise que vous voulez un café. Et... GO !

Ah. Cette fois c'est clair, j'ai loupé un truc.

— Je veux un café, dit à sa chaise une blonde avec un badge « Ivy ».

— Je *veux* un *café*, exige Zach.

— *Je veux un café !* s'emporte une grande brune – Zoe. *Donnez-moi un café !*

Les paupières qui papillotent, je me tourne vers le prof.

— Il y a un problème ? m'interroge-t-il en s'avançant vers moi avec un grand sourire. Tu préférerais lui demander un thé ?

201

— Non, non. Le café, c'est... ça va. Juste, euh...
Je crois que... j'ai dû me tromper de cours, monsieur.

J'ai du mal à croire que Lady Sylvia Valentine, ou
ma mère, d'ailleurs, ait un jour demandé une boisson
chaude à une chaise. On se croirait plutôt dans un programme d'entraînement pour employés de Starbucks.
Version chtarbée.

— Comédie télé et ciné, précise le professeur.
Qu'est-ce qui te tracasse, au juste ?

Coup d'œil circulaire.

— JE VEUX UN CAFÉ.

— Je veux un... café ?

— IL EST OÙ MON CAFÉ, BORDEL ? (Zoe a
pété un câble.) IL EST OÙ, HEIN ? TU VAS ME LE
DONNER, OUI ?

J'avale ma salive, un peu gênée.

— Hum. Ça fait un peu... débile.

— Et comment, s'esclaffe le prof. C'est le but
du jeu.

Je veux un café.

L'heure qui suit, je hurle, geins, chuchote et implore en vain. Je n'ai plus une voix normale. Trop plate, trop forte, trop stridente, trop voilée, trop grave, trop aiguë. La phrase accélère, ralentit, enfle, s'élève, se brise. Les quatre mots n'arrêtent pas de changer, de gigoter jusqu'à perdre toute signification.

À l'heure du déjeuner, je suis tellement frustrée que j'ai envie de péter ma chaise. C'est *ma* voix ; pourquoi je n'arrive pas à la contrôler ?

— Bien ! fait M. Hamilton en tapant des mains. On va faire une petite pause. Vous trouverez un distributeur de boissons au bout du couloir.

Je lève les yeux, le regard vitreux. J'avais oublié que je n'étais pas seule. Je commence à comprendre pourquoi Maman avait toujours la tête ailleurs quand elle tournait.

Inquiète, je me tourne vers mes camarades. Les huit foncent s'asseoir sur les canapés : ils chuchotent, mangent des chips, m'épient, l'air de rien. Pour des apprentis-acteurs, il y en a pas mal de mauvais.

Gênée, je sors mon tél. Ding. Alerte Google.

> « Faith Valentine, j'en rêve ! » déclare Dylan H –

— Salut, la nouvelle, m'interpelle Ivy avant de faire signe aux autres de se taire. Viens donc avec nous. (Coup de coude à un mec en jean orange.) Bouge, débilos.

— C'est Diego, marmonne l'intéressé en pointant sa poitrine. Comme sur mon badge.

Mais il me ménage quand même une micro-place.

Je range mon portable, toujours gênée. Petit sourire et je me perche toute raide sur le bord du canap', comme un mannequin de grand magasin.

Silence.

Tu m'étonnes. Vu qu'ils parlaient tous de moi dix secondes plus tôt, et que mon malaise aurait de toute façon jeté un froid.

— Euh, tente Mia-la-voix-douce. Comment...

— Et dooonc..., enchaîne Theo (lunettes, chemise en jean froissée, il se penche vers moi). Tu es bien tu-sais-qui, pas vrai ? D'après Zach, c'est pas possible, mais Jem est à fond pour, et moi je suis plutôt partagé.

— Pas assez sexy, explicite Zach, le blond. Enfin, le prends pas mal, t'es ultra bien gaulée... par contre tes seins, c'est des cerises.

Je souris : *le prends pas mal…*

Jemima, tignasse bouclée, secoue la tête.

— Rêve pas non plus, mec. Même pas en rêve t'arriverais à pécho une fille comme elle, star ou pas star. Mais sinon, c'est elle, je confirme. Zéro doute. Matez.

Petit silence le temps qu'elle fasse tourner son portable. Tout le monde regarde l'écran.

Puis moi.

Puis l'écran.

Puis moi.

— Breeeef… (Zoe se décale brusquement pour m'examiner de près.) Sérieux, tu fabriques quoi dans ce cours amateur ? C'est comme si Angelina Jolie jouait un arbre dans un spectacle de fin d'année.

— NON MAIS C'EST QUI, EN VRAI ? explose soudain Rafe. JE LA RECONNAIS PAS, MOI, ELLE.

— Tu ne reconnais pas *Faith Valentine* ?

— QUI ÇA ?

— *Faith Valentine.* Écoute, Rafe, si tu veux devenir acteur, il va falloir lâcher la presse sérieuse deux secondes et t'intéresser aux torchons à scandales. C'est trop l'hallu que tu la reconnaisses pas. T'habites pas au fond de la mer, quand même.

Ils tournent tous vers moi de grands yeux. Incendie immédiat de mes joues. J'avale ma salive et retire mon bonnet.

— Vous pouvez m'appeler Effie.

— J'en étais *sûre* ! triomphe Jemima. *Yesss.* Dans ta *face*, Zachary. Planté en beauté. Elle est libre depuis à peine une semaine et t'as déjà flingué ta chance.

Zach se gratte la tête, mate ma poitrine en plissant le front.

— Purée, peste-t-il. Désolé. Photoshop, Wonderbra, tout ça. Pas facile à suivre.

— Trop mais trooop cool, s'extasie Zoe en me dévisageant. Je suis ta famille depuis des années. Comment elle va, Mercy ? Et ta mère ? Et Max ? (Elle se tourne vers le groupe en soupirant.) Son frère, en vrai, c'est un dieu. Genre *elle* mais en plus *grand*, plus *âgé*, et en *mec*.

— Un crétin, surtout, j'ajoute sans réfléchir.

Poilade générale.

— Tu fais des recherches pour un rôle ? se demande Mia à haute voix. Un film qui parle d'un cours de théâtre… (Un coup d'œil circulaire puis elle baisse la voix.) *On nous filme, là* ?

Zach se plaque les cheveux en arrière.

Un long silence gêné s'installe ; ils me matent tous, guettent mes paroles de sagesse et de savoir.

Sourire : OK. Fossette : OK.

— Eh bien… Je crois que je suis ici pour la même raison que vous. Quand on aime la comédie, on apprend en permanence. Un acteur ne devrait jamais cesser d'explorer. De jouer. D'enquêter. Après tout, ne sommes-nous pas d'éternels élèves de cette merveille qu'on appelle *la vie* ?

Envie de vomir sur mon sweat Moschino. Grand-mère serait hyper fière.

— Grave, acquiesce Zoe, visiblement déçue. Carrément. À fond avec toi, ouais. Cool. Profond et tout.

Nouveau silence.

— Perso, je suis là pour me trouver un agent, dégotter un grand rôle au cinoche et pouvoir pécho des canons le reste de mes jours, indique Zach. Y compris quand je serai vieux avec des cheveux gris.

— Moi, je suis venue parce que j'avais un bon de réduc, avoue Jemima.

— Moi, j'ai besoin d'une bonne vidéo d'audition pour la Royal Academy of Dramatic Art, dit Diego. Jusqu'à présent j'ai juste réussi à faire de la figuration dans *Coronation Street*.

— Pareil ! s'esclaffe Ivy. Moi c'était dans *Hollyoaks*.

— Et moi dans *Eastenders*, renchérit Theo en haussant les épaules.

— Mes parents disaient que ça m'aiderait à être plus à l'aise en présence d'étrangers, explique Mia d'une voix douce.

— Moi, je suis un acteur ultra doué, déclare Rafe en croisant les bras, la mine sombre. J'attends juste que quelqu'un d'important me repère.

Tout le monde se marre mais je doute qu'il s'agisse d'une blague. Je souris et, pour une raison qui m'échappe, je tape des mains.

— Génial ! En tout cas, je suis sûre que vous allez tous réussir ! Bonne chance !

Cette fois c'est clair, ils me détestent, non ? Mouais, moi aussi je me déteste.

— Bien ! s'exclame M. Hamilton en nous rejoignant. Pour notre prochain exercice, je vais vous demander de vous mettre par deux et de répéter le mot *lapin*. C'est tout. Juste *lapin*. Mais trouvez le moyen de créer un dialogue.

Les couples sont formés en trois secondes.

Personne ne m'a choisie. Étonnant : une riche snobinarde qui vient d'applaudir leurs rêves comme un morse hautain. Je scrute le sol.

— Lapin, me dit M. Hamilton. Lapin ?

— Lapin, je réponds sans savoir comment prononcer le mot.

33

Quelle est la fleur la moins rêche ?

Le lys.

Quelqu'un s'est donné du mal.

Lorsque j'ouvre la porte du manoir Valentine quelques heures plus tard, il y a des roses jaunes partout : des vases énormes encombrent le hall, des bouquets ornent les meubles, les marches en sont jonchées jusqu'à ma chambre. Limite elles me bloquent le passage.

Dommage que mes fleurs préférées soient les daturas : de jolies fleurs en forme de cloche, couleur crème, qui secrètent un poison capable de vous étouffer, de vous paralyser et même de vous tuer.

Réponse hélas pas « convenable » pour *Vanity Fair* : qui l'eût cru ?

— C'est quoi le…

— Toutes les heures, me coupe Mercy en sortant de la cuisine (combinaison noire, rouge à lèvres assorti, comme si elle avait mangé du charbon sans s'en mettre partout). Par paquets de douze, toutes les heures à l'heure pile, toute la journée. Ça fait une rose toutes les dix minutes, au cas où ça t'aurait échappé.

— Cinq, je corrige tout bas en contemplant le sol. Toutes les cinq minutes, Mercy. Au cas où ça t'aurait échappé.

— Bref. Maman est descendue en mode zombie, j'ai cru que c'était pour elle. Elle allait les jeter à la poubelle. Tu as eu du bol : sans moi, ces horreurs te passaient sous le nez.

— Mon héroïne…

On reste là un moment sans rien dire. La dispute d'hier doit avoir été momentanément oubliée. Nous sommes unies par le fait que le manoir entier dégage une odeur de désodorisant pour toilettes.

— Des *roses jaunes*, ironise mon aînée. Trop *original*, ton *ex*, Eff. Noah ne te connaît vraiment pas, c'est clair.

— Pas mon ex, je rectifie en ramassant une fleur pour l'admirer.

Elle est plutôt jolie, je dirais. Si on aime tuer des trucs puis les regarder flétrir lentement hors de leur milieu naturel.

— On n'a pas rompu, je précise. Je m'offre juste un peu de liberté pour faire le point.

Par contre, mon cœur accélère de façon suspecte.

Ça vient de Noah, tout ça ?

La vache, il doit souffrir à mort. Je devrais l'appeler ? Non ? Je n'en ai pas envie. J'ai encore besoin de temps. Mais si je ne le fais pas, c'est pas un peu… cruel ? Grossier ? Ingrat ?

Et imaginons que je ne réponde pas et qu'il…

Minute.

> Je ne suis pas devin mais, toi et moi,
> je le sens bien.
> On dîne ensemble ?
> Dylan Harris
> (star télé, actuellement sur Netflix) xx

Intriguée, je prends une autre carte.

> C'est nous, ou bien la température monte
> grave, là ? Appelle-moi.
> Dylan Harris
> (star télé, actuellement sur Netflix) xx

Une troisième :

> Mes parents m'ont dit de croire
> en mes rêves. Moi je crois en toi !
> Dylan Harris
> (star télé, actuellement sur Netflix)

Et au verso de chacune :

> **Romance en Fleurs – votre boutique
> dédiée à l'amour et aux excuses ! x**

Soulagée, je vais m'asseoir sur la première marche. Je me marre si fort que Mercy en sursaute.

— Qu'est-ce qui...

— Elles ne viennent pas de Noah. C'est un mec de la liste de Genevieve qui les a envoyées. Regarde.

Ma sœur lit les cartes. Elle se plie en deux puis s'écroule à côté de moi.

— La vache. Meuh, quoi. Non mais il se prend pour qui, le Casanova de supérette ?

— *Dylan Harris*, Mercy. (Je lève les yeux au ciel.) *Star télé, actuellement sur Netflix*, enfin. C'est marqué dessus.

Et on se marre de plus belle.

— Mais bon, apparemment, c'est un vieil ami de la famille. D'après les journaux, en tout cas.

Je plisse le front et ramasse une étiquette.

Des roses pour ma rose d'Angleterre.
Entre nous, ça va être... piquant !
Dylan Harris
(star télé, actuellement sur Netflix)

— Pas assez proche pour savoir qu'on n'est qu'à moitié anglaises, ricane Mer' en s'essuyant les yeux. Par contre, le nom me dit vaguement quelque chose.

— À moi aussi. Je crois voir un visage. Mais bon, je suis plus du genre Amazon Prime, moi.

Là, nos rires s'estompent et boum : la dispute revient toquer à la porte.

— Eff', ton miroir…

— C'est rien. (Je me lève fissa.) Un coup de pied malheureux pendant un échauffement intense. Tu me connais. Le sport, le sport, le sport. Tonique, tonique, tonique.

— Mouais, grimace-t-elle. Grosse malade.

Pas envie de me battre aujourd'hui : pas l'énergie. Pas envie que Mercy apprenne que j'ai pété mon miroir exprès. Et aussi, je n'ai plus fait de sport depuis, et je me demande si les deux ne seraient pas liés.

— Où sont les autres ? je reprends.

Coup d'œil circulaire. Un silence étrange règne dans la maison. Mercy hausse les épaules.

— Maman hiberne. Ben a emmené Hope faire du roller ou un truc du genre. Et Max s'est encore volatilisé. Ça pue la romance secrète.

— Pouah. (Une vague de sympathie me submerge.) La pauvre.

— C'est clair, le roller, c'est l'horreur.

Mercy m'adresse un sourire en biais, je la tapote du pied, puis je dégaine mon tél :

COMMENT ELLE S'APPELLE, MAX ??????? AVEC MER' ON T'A GRILLÉ ! ACCOUCHE !!!!!!

Ding.

DE QUI DE QUOI ? Et aussi, t'as fait quoi, cette fois, pyro-woman ? Max xx

Je fronce les sourcils, me tourne vers la cuisine.

Hé ? C quoi le délire ?

TWITTER ! x

Inquiète, je clique sur l'appli.

1 604 notifications.

Je bats des cils et les fais défiler.

AÏE @*Scarlettbell TA TROP ABUSÉ !*
@*Scarlettbell T'as trop pas de cœur. Pauvre*
Faith, tu sais ce qu'elle traverse ? Pas cool !
@*Scarlettbell Ha Ha ! Carrément. Dans sa face ! #Basic B*
@*Scarlettbell CASSSSSÉÉÉ !*

Scarlett ? J'accélère le mouvement. Et je me fige :

Si vous ne pouvez pas supporter @FaithValentine pour le
pire, vous ne la méritez grave pas quand ELLE CHOURE LA
PERSONNALITÉ DE #MarilynMonroe. #fadasse #labarbe

— Quoi ? demande Mercy en se penchant sur mon écran. Max cherche à nier ? Tu verrais ta tronche…

— Hmm.

Je bats des paupières, la tête dans le coton. À l'écran, une photo de Scarlett en pyjama panda avec le logo « compte vérifié » : c'est elle, pas de doute.

Mes yeux me picotent.

— Eff ?

— Je crois que je vais… (*Aller courir ? Me coucher ? Aller courir ? Me coucher ? Aller courir ? Me coucher.*) Euh. Me caler une petite sieste. C'est euh… le pollen des roses. Rhume des foins. Je dois être allergique.

— Les roses n'ont pas de pollen, Faith…

— C'est bon, lâche-moi.

Je me traîne jusqu'au premier, dans la pénombre rassurante. Là, je reste immobile et me pince l'arête du nez.

Chourer une personnalité. Fadasse. La barbe.

215

Toutes ces journées passées avec Scarlett, tout ce que je lui ai *confié*, c'était juste pour s'en servir contre moi ? *Moi, j'avais confiance.* Je me suis ouverte. Je l'aimais bien et ça m'a rendue vulnérable. Je suis tellement débile débile débile débile *débile*.

Les conséquences c'est pour demain, et justement les voilà, étalées sur tous les réseaux sociaux.

Les yeux humides, j'ouvre la porte de ma chambre.

— Salut ! Salut ! me sourit Scarlett sur mon lit. Les échelles de secours ça fonctionne dans les deux sens, tu sais. Ferme ta fenêtre au cas où Dylan Harris grimperait pour te regarder dormir et tenter de te rendre immortelle, tout ça.

Je m'essuie les yeux.

— Pardon ?

— Oh ! (Elle agite son téléphone et rigole.) J'en avais marre de t'attendre. Allez, bouge, Valentine. Fais-voir ce que t'as dans le bide.

34

 ans vouloir être grossière…

Voilà précisément pourquoi on nous déconseille de fraterniser en dehors de la famille. Les Valentines sont déjà assez perchés comme ça, pas besoin d'en rajouter.

— Salut, je fais en me plantant, raide, à côté de Scarlett. Je ne suis pas bien sûre de comprendre mais…

— Bouge un peu, pépie-t-elle en pianotant des deux pouces. Ou je te bouge pendant que tu te la joues cygne majestueux. Oups. Trop tard.

Je mate l'écran.

@FaithValentine Les grands esprits discutent des idées ; les esprits moyens discutent d'événements ; les petits esprits POSTENT DES PHOTOS DE LEUR PETIT DÉJ – #Basic #EleanorRoosevelt

Scarlett ricane tandis que les notifications fleurissent de plus belle.

— À toi, me lance-t-elle.

Non mais nom d'un… Genevieve va être furieuse. Elle adore ses photos de smoothies.

— Écoute, je l'implore, vu que Scarlett pianote de nouveau comme une dingue. Arrête, Letty. S'il te plaît. Tu trouves peut-être ça drôle, mais on consacre un temps et un argent fous pour s'assurer que ma présence en ligne est bien…

Ding.

@FaithValentine Être ou ne pas être… OBLIGÉE DE TRIER DES PHOTOS DE TOI AVEC VALENCIA – #crâneuse #Shakespeare

Je la fixe.

— Je ne suis pas une *crâneuse*.

— Moi je le sais, mais pas tes six millions de followers. En plus, on s'en carre de ce que des inconnus pensent de toi. Sérieux.

Elle exagère, là…

— Mais je…

Ding.

@FaithValentine Si vous voulez une vie heureuse, attachez-la À VOS RÉSEAUX SOCIAUX, non pas à des personnes ou des choses – #superficielle #AlbertEinstein

— OK. Tu l'auras voulu.
Je dégoupille mon tél et pianote à mon tour.

Je me dis que @Scarlettbell devrait peut-être...

— *Peut-être* ? (Scarlett roule les yeux.) Tu *te dis* ? Tu peux mieux faire, Valentine.
Le front plissé, je supprime le post. Puis j'écris :

Nous naissons tous ignorants mais il faut travailler dur pour rester stupide. Tu dois être épuisée, @ScarlettBell. #cruche #BenjaminFranklin

Scarlett se marre, aux anges.
— C'est mieux. Essaie encore.

Être @Scarlettbell sur Twitter c'est comme diriger un cimetière ; vous avez plein de monde sous vous et personne ne vous écoute. #6kfollowers #BillClinton

On glousse.

Reste calme et poste des SELFIE sur @FaithValentine. #jepensekamoi #Churchill

On n'est personne tant qu'on n'est pas aimé, du coup @Scarlettbell c'est... #Qui #FrankSinatra

Notre plus grande gloire n'est pas de ne jamais tomber mais de POSTER TOUS NOS FAILS SUR

INSTAGRAM. @FaithValentine #regardezmoi
#Confucius

Toute beauté est joie qui demeure. PAS DE BOL.
@Scarlettbell #tristesse #Keats

On se roule de rire sur le lit.

@Scarlettbell T'as tout pété. Ça chlingue. #beurk

Nos notifications, c'est du délire, ça retweete et ça commente dans tous les sens.

Yesss ! C'est la GUERRE !

Trop connes. Les citations ne sont même pas bonnes.
#gourdasse #fail

— Tu veux que je te dise, commente Scarlett en pianotant. À force de pomponner nos vies pour les offrir en pâture aux autres, on devient tous nos propres chargés de com'. Et ça fout les jetons. En plus...

@FaithValentine pue la morue pas fraîche. #Lisbonne

Début de hoquet.
— Je suis trop dans la merde. (Hic.) Genevieve va m'emmener... (Hic.) en croisière la nuit et (Hic.)... me jeter à la flotte avec les oscars de Grand-mère attachés aux orteils. (Hic.) Et d'ailleurs...

Je prends un selfie sans réfléchir, avec une tronche de morue frite – contour des yeux barbouillé de mascara à force de rire – et j'actualise ma photo de profil.

— Alors, c'est qui la crâneuse, maintenant ?

— Mais comment t'as fait cette grimace ? crise Scarlett, à deux doigts de s'étouffer tellement elle tousse. Avec un visage humain, c'est juste pas possible. En plus... tu diras à ta mémé que les Golden Globes c'est plus lourd. (Elle mate le bas de l'écran.) Oh regarde ça, on n'est plus seules.

@Scarlettbell JE VAIS TE FAIRE LA PEAU FAIS GAFFE MINABLE #povstarlette #lachemasoeur #MercyValentine

Mon hoquet cesse direct.

Fichtre, Mercy. Il n'y a que ma sœur pour oser signer une menace de violence physique. Scarlett ouvre ses grands yeux – verts – tout ronds.

— Euh, Letty... Mer' est dans la cuisine, je vais lui expliquer...

— Tu rigoles ? J'ai jamais rien vu d'aussi beau. Voler à ton secours comme ça ? Sans se poser de question ? Je suis fille unique et je t'envie grave, là.

Tsunami de fierté.

— Mercy est plutôt du genre brutasse, c'est vrai.

— Féroce, sourit Scarlett en posant la tête sur mon oreiller. Voire sociopathe. Mais elle n'a pas tort. Je suis une minable. Enfin, pas dans le milieu, j'ai des trophées à revendre. Mais ta sœur a raison. Je suis une pauvre starlette qui ne fait pas ce qu'elle voudrait faire.

— À savoir ?

Grimace légèrement gênée.

— Comédie musicale.

— Pas possible. (Je bats des cils, hallucinée.) *Sééérieux ?* Genre danser et chanter avec des oreilles de chat, tout ça ?

— Grave. Et plus c'est kitsch, plus je kiffe. J'ai trop un cœur en sucre d'orge.

Je me marre.

— Du coup pourquoi…

— Pourquoi je tourne dans une série de zombies ? Pour le fric, Eff. J'habite un appart' miteux à Brixton. Je prends ce qui passe. En mode pizza ?

— Je, euh… je vois ce que tu veux dire. Alors… il y a une base fromage-tomate mais tout le monde t'ajoute d'autres garnitures – viande hachée, champignons, olives – sans jamais te demander ce que tu veux, c'est ça ? Genre… Si ça se trouve au fond tu es une pizza aux fruits de mer. Ou fraises et chèvre. Ou pommes-caramel-noix de coco, ou encre de seiche ! Mais comment veux-tu le découvrir si les gens n'arrêtent pas de te couvrir d'autres choses ?

Silence. Scarlett fronce les sourcils.

— Mouais. Je te demandais surtout si tu étais en mode pizza. Pense à consulter, quand même.

Sensation de chaud et froid sur tout le visage.

Oh non mais nom de…

— Hum. Oui. Une pizza… génial.

— Humm... (Scarlett prend un crayon sur ma table de nuit et le mordille de ses petites dents pointues.) Ça pourrait se vendre, tu sais ? Pommes-caramel-noix de coco ? Je me laisserais bien tenter. Parles-en à un banquier.

Je lui prends le crayon et lui tape la tête avec.

— Débile.

— Crétine.

— Follasse déglinguée.

— Robot constipé des émotions.

On re-glousse.

— Bon, reprend Scarlett en jetant son téléphone par terre. On a terrorisé le Net, scandalisé nos followers et détruit Einstein : mission accomplie. Commande-moi une roquefort avec supplément ananas, OK ? dit-elle en sortant un billet de vingt livres qu'elle plaque sur ma cuisse.

LES ZOMBIES LUI MONTENT À LA TÊTE

La santé mentale de FAITH VALENTINE inquiète de plus en plus. Faith ne s'est plus montrée en public depuis que son ex, NOAH ANTHONY, l'a trompée. Et la voilà maintenant qui se dispute avec Scarlett Bell, la jeune actrice qui monte.

La fantasque adolescente (16 ans), qui s'est rasé le crâne en réponse à la tromperie de Noah (voir photo ci-contre), s'en est pris à Scarlett sur Twitter, après que celle-ci lui a chipé son premier rôle dans *Deux semaines d'horreur*.

« Faith est en colère, affirment des sources bien informées. Être remplacée si vite, pour elle c'est un manque de respect. Elle se sent insultée, et elle est extrêmement fragilisée. Faith fulmine. »

Faith ne nous avait pas habitués à ce genre d'esclandres sur Twitter. D'autant qu'elle a aussi opté pour une photo de profil plus menaçante. « C'est un aspect de Faith que nous ne reconnaissons pas, s'inquiète un proche. Nous espérons qu'elle va se remettre avec Noah. D'ordinaire, Faith est un cœur. »

35

Tu as lu ce qui s'est passé sur Twitter ?

Attends, je te suis pas...

Je me suis fait lourder.

Pire que se faire jeter à la mer en pleine nuit : on m'a larguée d'Internet comme si j'étais entrée dans une boîte sélecte en baskets. Je n'ai plus accès au moindre réseau social. Mes mots de passe ont tous été modifiés, mes tweets supprimés, ma photo de profil « morue » remplacée par un portrait nickel. Et une série d'excuses sincères ont été postées :

Je tiens à présenter mes excuses pour tout le mal que j'ai pu causer à @Scarlettbell hier. J'ai honte, profondément. 1/3

Je n'ai aucune excuse, hormis une grosse fatigue et la grippe qui ont altéré mon jugement. Scarlett est une actrice très talentueuse, j'ai énormément de respect pour elle et ne lui souhaite que du bonheur. 2/3

Je remercie mes followers et mes fans pour leur sou-tien en ces temps difficiles. Faith xxx
#AmourLumièreRire ♥ ♥ ♥ ♥ *3/3*

Il y a aussi de nouvelles photos sur mon Instagram.

La dernière : un cœur dessiné dans du sable blanc, recouvert de coquillages roses et lapé par une eau turquoise. La légende : *L'amour existe, ne laisse jamais ta lumière intérieure se teindre. Adieu les rageux. #AmourLumièreRire* ♥.

La coquille fait rire pas mal de monde. Mais pas Genevieve.

— *S'éteindre*, marmonne-t-elle alors que je grimpe dans la limo qui doit me conduire à ma seconde leçon de comédie.

Elle martèle son écran : boum boum boum.

— *S'éteindre*, enfin. *Laisser la lumière se teindre* ça ne veut rien dire, en plus.

Bien que surprise, je m'assois. L'assistante de Grand-mère porte un jean déchiré et un tee-shirt, elle a une queue-de-cheval ébouriffée, zéro maquillage et elle affiche une mine furieuse. Adieu la réserve de grande professionnelle et le look de mémé.

— Genevieve...

— Tu te rends compte du mal que tu as fait ? me coupe-t-elle sans cesser de pianoter. Avec tout ce que je cache aux médias – la déprime de ta mère, le divorce imminent de tes parents, l'existence de Roz, l'excursion solo de Hope à L.A., les indiscrétions de Max, Mercy...

Elle n'en dit pas plus : rien que *Mercy*, ça constitue un bon catalogue.

— Et voilà que tu te mets à agresser une actrice inconnue EN LIGNE. Tu sais pour quoi vous passez, maintenant, les Valentines ? Ta grand-mère est *livide*. Elle exige qu'on supprime Twitter intégralement !

Mon nez se trémousse, je baisse aussitôt la tête.

Oh, Grand-mère...

— Je m'excuse, Genevieve, je réplique avec une moue coupable. Je ne voulais pas te rajouter du travail, c'est juste que...

— Oh, penses-tu, m'interrompt-elle une nouvelle fois en écartant une mèche blonde de sa figure. Je vais encore passer mes soirées à dessiner des fleurs sur des cappuccinos, photographier le carlin de ma voisine... Pas comme si je voulais avoir une *vie*...

Elle tape toujours, furibarde.

Ça me la coupe. Stop, minute ! Le chien n'est même pas à elle ? Et le yoga, elle le pratique pour de vrai, ou pas ? Elle a un dossier « citations » dans son tél, ou elle les connaît par cœur ?

Tout serait fake ?

— Je...

— As-tu choisi un mec ? (Elle me jette un regard glacial.) Il y a *dix* jeunes prétendants valables dans cette liste, nous te demandons simplement d'en choisir un. Pas la mer à boire, Faith. La majorité des adolescentes rêveraient d'être dans ta situation.

La colère se rallume en moi.

— Je ne veux pas d'un…

— En attendant, j'ai diffusé un communiqué de presse et fait des dons en ton nom à plusieurs organismes caritatifs pour la jeunesse. Je vais contacter l'entourage de Scarlett, qu'on mette sur pied une séance photo apaisée/sincère. Je propose un café bio bien éclairé.

Scarlett m'avait prévenue :

MEUF, ils sont tarés ? Ils voient pas que c'est moi qui ai commencé ? xxx

Relax. Zéro regret :) xxx

— Mais je…

— En attendant, poursuit Genevieve sans relever ma tentative d'intervention, fais profil bas. Pas question d'aggraver les choses.

Elle met une paire de lunettes sans monture dont je vous garantis qu'elle n'a pas besoin. Je bous intérieurement, mais je marmonne :

— OK. Pardon.

— Et mets ça, aussi. (Elle me passe des lunettes de soleil à énormes verres réfléchissants.) Et puis ça.

(Casquette de baseball blanche.) Et ça. (Pull blanc ample, jupe longue blanche.) Dans la mesure du possible, essaie de marcher voûtée. Tu as honte. Ce que tu as fait t'horrifie… Tu vois le genre.

Sans un mot, j'enfile le tout tandis que la voiture s'arrête devant l'école de théâtre.

Clac. Une main frappe la vitre à hauteur de ma tête.

— FAITH ! FAITH VALENTINE !!! POURQUOI TU ATTAQUES PUBLIQUEMENT UNE ACTRICE MODESTE ?

— C'EST TES CRISES QUI ONT FAIT FUIR NOAH ?

— TU AS PERDU LA BOULE OU QUOI ?

À bout, je me tourne vers Genevieve.

— Qu'est-ce qu'ils font là ?

— Je les ai appelés, révèle l'assistante tandis qu'une dizaine de paparazzis entourent la voiture. On s'efforçait de dissimuler ces cours avant ta petite sortie en ligne, mais maintenant ça fait *humilité*.

— Ah.

Mon ventre se tord sous les flashs des appareils photo, je renfonce ma casquette.

— Et donc. Je suis censée dire quoi ?

Je descends.

— Rien, m'indique Genevieve. Pas un mot.

Plutôt quatre fois qu'une.

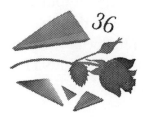

36

Que dit une plaquette de beurre à son amoureux ?

Tu me fais fondre.

Le silence, ça va, je gère.

Pas de bol, le temps que je me fraie un chemin à travers la masse hurlante des paparazzis – protégée par mes lunettes et ma casquette –, le cours est déjà bien commencé. Accroupie dans un coin, Jemima fait semblant de se lécher une jambe ; Zach, lui, rugit ; Ivy bondit partout à quatre pattes et Mia rampe sur le ventre en faisant *sssssssss*.

Mon téléphone tinte.

Un selfie de moi s'ajoute à mon Instagram : je suis allongée par terre, toute souriante, entourée de papillons en papier.

L'amour et la compassion sont des nécessités, pas un luxe – le dalaï-lama #apprendretoujours #dsl

J'en frémis. Va falloir verser des heures sup' à Genevieve.

— Entre, Faith ! m'interpelle M. Hamilton. Range ton appareil mobile et choisis un animal. Retire aussi casquette et lunettes, s'il te plaît, nous ne sommes pas à Hollywood !

Toute gênée, j'obéis et bats des paupières.

Diego se promène lentement, les bras écartés : toutes les cinq secondes, il s'abat sur Theo qui hurle et tente de se réfugier sous une chaise. Rafe et Zoe jouent à la bagarre.

J'avale ma salive et tente de deviner quel animal je suis au fond de moi. Dommage que la souris soit déjà prise.

— Je crois que je vais prendre…

— Pas un mot, je te prie ! Interagis avec tes camarades sans dire ce que tu es : tes actes doivent parler d'eux-mêmes !

Alors, je me roule en boule, les mains sur la tête. Et j'attends que le bruit cesse. Un claquement de mains, enfin.

— Parfait ! C'est la pause, tout le monde ! Ensuite nous aborderons la théorie de Spolin, ou comment vivre la scène.

Je me « déroule », toute raide, et me redresse. Bonne chance, monsieur Hamilton. Ma grand-mère s'échine à m'enseigner cette méthode depuis un an. En vain.

Mes camarades sont déjà regroupés autour du canapé, où ils discutent de l'exercice de la matinée.

— Trop chelou, ton aigle, Diego.

— J'étais une *crécerelle*.

Ne craignez pas la perfection : vous ne l'atteindrez jamais – Salvador Dalí #Erreurs #Tournerlapage

Sur la photo, je tourne sur moi-même, dans une robe bleue. Ironie de l'histoire, avant Photoshop, ma taille était huit centimètres plus large, mes biceps mieux définis et cette robe… jaune. Je range mon tél dans ma poche.

— C'est qui d'abord, cette Pauline ? demande Jemima.

— Viola *Spolin*, rectifie Rafe en roulant légèrement les yeux. Une très célèbre prof et coach de théâtre. Personnellement, je serais plus sensible à la méthode Actor's Studio, Lee Strasberg.

— Le mec qui a inventé les jeans ?

— Non.

— Et Tchekhov, alors ? demande Zach en lisant le programme du reste de la semaine. C'est la même chose ? Et Meisner ? Adler ? Uta Hagen ? C'est qui, ces gens ?

Silence général.

— Euh…, reprend Rafe. Et si on interrogeait la *vedette* ? Elle sait sûrement tout sur l'univers de la comédie.

Huit visages captivés se tournent vers moi.

Ne dis rien.

— Euh. (Je me voûte un peu plus tandis que mon téléphone tinte.) Tchekov privilégie la connexion physique. Meisner encourage les acteurs à réagir directement à l'environnement. Adler met l'accent sur l'imagination plutôt que la mémoire émotionnelle, Hagen recommande à ses élèves d'insérer leurs expériences dans une scène alors que Spolin se concentre davantage sur l'impro.

Et je me cache derrière ma casquette. Je rame à apprendre ces trucs depuis un an, ç'aurait été grossier de ne pas répondre.

Pardon, Genevieve.

— Qu'est-ce que tu fais dans ce cours ? s'exaspère Zoe. Tu sais déjà tout ! Moi à ta place, je ne perdrais pas mon temps ici. J'enchaînerais les soirées VIP, je me gaverais de caviar, je galocherais des…

— SAUF QU'ELLE SAIT PAS JOUER ! tonne Rafe. Tu l'as pas regardée, ou quoi ? Elle est nulle. La pire de la classe ! La célébrité ne sert à rien si tu ne possèdes pas le talent qui va avec.

Et si c'était lui, l'âme sœur de Mercy ?

— En fait, Rafe, réplique Zoe, les Valentines, c'est une vraie famille royale, niveau cinoche. On a de la chance de respirer le même air que l'une d'elles.

Et ça, c'est une petite-fille pour Grand-mère.

Mes camarades se tournent vers moi, et moi, juste là, j'en ai ma claque de toujours toujours toujours me taire.

Déclic intérieur.

— Il a raison, je confirme en jetant mes lunettes débiles. Je ne sais pas jouer.

Un frisson chaud me parcourt : wooush.

— Je suis sûr que…

— Non. (Re-wooush.) Je ne sais pas jouer… *Du tout.* La vérité ? On m'a inscrite à ce cours parce que je suis trop nulle, et que ma famille craint que je détruise à moi seule leur précieuse réputation.

Purée ça fait du *bien.*

Les autres restent bêtes. Moi, c'est comme si une digue avait rompu, je ne peux plus m'arrêter, je ne *veux* plus m'arrêter…

— Quel est l'artisan préféré des vaches ? Le meuh-nuisier. Qu'est-ce qu'on obtient quand on enferme du riz ? Du riz cantonné. Où vont les canards pour faire un petit pipi ? Au petit coin-coin. Quel est le fromage préféré des tombeurs ? L'edam. Qu'est-ce qui est vert et qui a deux roues ? L'herbe… j'ai menti pour les roues.

J'ôte ma casquette et me gratte le crâne. Silence estomaqué.

Wooush.

— Eh ouais.

Large sourire.

Wooush.

— Je ne sais pas non plus raconter les blagues. Zéro sens du rythme. Même pas marrantes. Je n'aime pas les chiens, or il n'y a que les monstres qui n'aiment pas les chiens. Je porte le même legging environ huit jours d'affilée et je vous jure qu'il pue la mort. Tenez, et regardez.

Je leur montre l'écran de mon tél, qui tinte justement.

Une photo ajoutée à mon Instagram : deux pieds fins, peau marron, dans des ballerines roses.

— C'est même pas moi. Pendant qu'on se parle, il y a une blonde bien énervée assise à l'arrière d'une limo coincée dans les bouchons quelque part, qui actualise *mes* réseaux sociaux. Je n'ai même plus accès à mes comptes. Tout ce que vous lisez sur moi, c'est du toc. Depuis toujours.

Silence.

Mais moi, j'ai chaud partout. Limite je pourrais pleurer tellement je suis soulagée. Scarlett avait raison. Rien ne m'oblige à redouter ce qu'ils pensent, rien ne m'oblige à…

— Hum, toussote Zoe. Je photoshoppe mon nez sur toutes les photos que je poste ; je porte des tonnes de maquillage mais j'envoie le hashtag « *no makeup* ». Tu n'es pas si spéciale, Faith Valentine.

— Une fois, glisse Ivy, j'ai fait croire que j'étais à Glastonbury. J'avais bossé mon look et m'étais photographiée en train de danser dans un champ. Jamais mis les pieds à Glastonbury. Je déteste la foule.

— Ooh ! s'écrie soudain Theo en battant des mains. Moi une fois je me suis inventé une copine pour rendre mon ex jalouse ! Mon coloc m'a pris en photo sur le canap', les yeux fermés, et je l'ai postée avec la légende : *Je supporte pas qu'elle me regarde dormir #newlove.*

— J'achète des fringues trop chères pour moi, je cache les étiquettes, je me photographie avec, je les poste avec les hashtags « pub » et « influenceuse », puis je les renvoie, rougit Jemima.

— Moi, je simule des hobbies, confie Diego. Plein.

— Mon mec et moi on se supporte plus, chuchote Mia. On passe notre temps à s'engueuler, je pleure, et quand il s'en va je poste des photos de nous collés l'un contre l'autre sur le canapé et je mets des cœurs autour.

— Je paie des followers, sourit Zach. Je suis suivi par environ seize mille robots en Russie.

D'instinct, on se tourne tous vers Rafe.

— Pathétique, grimace-t-il. Dans quel monde vivons-nous ? Moi, j'évite les réseaux sociaux. (Une pause. Il baisse les yeux.) Par contre, mon teckel a un compte qui déchire. Ça vous dit de le voir ?

On est tous pliés en deux, on rit comme un troupeau de phoques. Et chaque fois que nos regards se croisent, ça redémarre. À trop chercher à peaufiner une version parfaite de nous-même, on ne remarque même pas que les autres font pareil.

— Bien ! dit M. Hamilton en nous rejoignant. Mettez-vous en cercle.

D'un même mouvement, les autres s'accroupissent, les mains sur la tête. Et se tordent de rire.

— Très drôle, je m'esclaffe, envahie par une lumière chaude qui rejaillit de moi.

Et je ne me sens plus célèbre.

Je me sens vue.

37

Pourquoi ne voit-on jamais d'éléphants cachés
dans les arbres ?

Parce qu'ils sont trop bien cachés.

Le cours se poursuit dans la bonne humeur.

Je suis toujours aussi nulle, bien sûr. On est censés
tourner une clé imaginaire pour ouvrir une porte imaginaire puis inventer une réaction à ce qu'on découvre
derrière. Moi, je ne vois ni la clé ni la porte et encore
moins le monstre.

Jemima, par contre, enfonce ma porte d'un coup de
pied ; Zoe tire le monstre par une patte et Diego lui
bourre la face de coups de poing pendant que je fais
semblant de pousser des cris hystériques, les mains sur
les joues. Et je suis trop occupée à me marrer avec mes

camarades – et échanger des numéros de tél – pour m'inquiéter de ma performance.

À mon retour au manoir, je suis… heureuse. Légère. Comme si, lentement, on défaisait mes amarres et me laissait filer.

Toute fofolle, je textote à Scarlett :

Trop cool le cours ! Ça te dit de passer ? G la pêche ms trop vannée pour sortir xx

Elle répond :

Lecture collective pour 2SH, dois bosser script. :(Mais yesss ma grande, je savais que tu pouvais le faire ! Pour savoir jouer, il suffit de bosser ! Fière de toi xxxx

Sourire aux lèvres, j'ouvre la porte en pianotant. *Moi aussi, suis fière de moi.*

OK, bonne chance pour t…

Je me prends une tarte.

— YYYAAAAAAAHH ! je hurle comme une dingue. ME TOUCHE PAS JE SAIS ME DÉFENDRE JE VAIS TE DÉFON… *ah.*

C'était juste un ballon en forme de cœur.

Les paupières en folie, je découvre le hall. Des dizaines de cœurs roses flottent, reliés par une ficelle à des socles – une forêt bien flippante. *Là-haut*, version film d'horreur.

— Nom d'un...

Une carte est attachée à chaque cœur.

Mon cœur s'envole grâce à toi !!! Un verre ?? Dylan Harris (Star télé, actuellement sur Netflix)

Je ne vous lis pas les autres, je pense que vous avez capté le message.

La mâchoire crispée, j'attrape les ficelles et arrache les cartes. Puis je monte avec mon bouquet grinçant. Les cœurs n'arrêtent pas de heurter mon visage et de se prendre dans la rampe, j'enrage à chaque marche.

C'est quoi son problème, à ce mec ?

Si une fille faisait ça, elle serait étiquetée direct crevarde desperado lente du cerveau. Mais comme c'est un mec, je suis censée me pâmer et être séduite ? *Ben voyons.*

Je grommelle toute seule et toque à la porte de Hope. Pas de réponse, elle doit encore être sortie avec Ben. Donc j'entre et lâche les ballons roses. La chambre est déjà pleine à craquer de roses jaunes. Avec ma cadette, on est sur la même longueur d'onde : autant mettre tout ça là où ce sera apprécié.

Je me défoule en dépoussiérant les rideaux en velours rouge lorsque mon tél sonne.

— Ah-ha, je fais en secouant les rideaux.

— Je te demande pardon ?

— J'ai dit… (Vlan.)… Ah-ha.

— Je t'ai parfaitement entendue, s'indigne ma grand-mère. Ce n'est pas ainsi que l'on répond au téléphone, Faith. Ce n'est même pas un mot. Ce n'est même pas deux mots.

— Tu sais quoi ?

Et je raccroche.

Wooush. Retour de la vague de chaleur.

La vache, ça devient addictif.

Mon téléphone re-sonne.

— Nous avons été coupées, je ne me l'explique pas, gazouille Grand-mère. Et nous n'avons pas de temps à perdre en facéties. Je t'attends à Londres dans une heure.

Vlan.

— Pourquoi ?

— Plaît-il ?

— J'ai dit *pourquoi* ? (Vlan. Vlan.) C'est que je suis un peu occupée, là.

Vlan. Vlan. Vlan.

Silence choqué.

— Faith Valentine ! Si je voulais du je-m'en-foutisme, j'appellerais ton frère. Tu as cochonné, et je pèse mes mots, ta réputation auprès de la presse nationale, il est temps que je te reprenne en main.

Le regard noir, je m'éloigne des rideaux. Tu m'étonnes qu'elle veuille me reprendre en main. Soupir résigné. Je regagne ma chambre.

— Bon… Quel est le programme ?

J'ai l'impression d'être un ballon rose dégueu : reliée à des paroles que je ne pense pas, ancrée à un truc lourd, la tête qui ballotte contre le plafond.

— Rendez-vous au Sketch, à Mayfair. Réservation pour 19 heures.

Coup d'œil à ma garde-robe.

— Code vestimentaire ?

— Glamour mais respectable. Beauté modeste. Simplicité frappante. Ni cœur brisé, ni triomphante. Tu n'es ni *victime* ni *agresseur*. Essaie l'ensemble Chanel bleu pâle.

Je fais valser les cintres puis choisis une robe droite bien terne.

— Le Sketch ? Mais tu n'aimes pas, je rétorque.

J'ôte la tenue « comme il faut en public » fournie par Genevieve et enfile quelque chose de plus « sagement féminin ».

— Tu n'arrêtes pas de t'en plaindre, j'ajoute.

— Ma chérie, si je voulais qu'on arrose mon foie gras de lait chocolaté et que l'on me serve du cabillaud aux fraises, je demanderais à un enfant de cinq ans de préparer mes repas. Cela dit, comme ce n'est pas moi que tu vas retrouver dans cet établissement, peu m'importe.

Je me fige.

— Ah bon ? Mais comment ça ?

— Qu'aurais-tu à gagner à dîner avec ta grand-mère, allons ? Non, je t'ai organisé un premier rendez-vous.

Un tsunami de fureur déferle en moi.

— Alors là c'est NON.

— *OH QUE SI.*

— M'enfin tu ne peux pas !

— Au contraire. La preuve. Tu tergiversais, alors j'ai choisi pour toi. Je ne te demande pas de tomber amoureuse, attention. Mais simplement de profiter d'un arrangement duquel vous sortirez gagnants tous les deux. Le candidat souhaite une couverture média-tique. Quant à toi, tu dois te présenter comme une jeune femme de valeur, désirée, forte. Quelqu'un qui va de l'avant, que rien n'arrête. Cela devrait coller.

Nouveau raz de marée de colère. On n'est pas dans la fonction *Rechercher et remplacer* d'un document Word. On ne peut pas surligner *Noah* et écrire à la place le nom d'un autre garçon. On parle de mon cœur, là.

— Par conséquent, fini, les enfantillages, je te prie. Redeviens la gentille Faith douce et attentionnée que nous connaissons et aimons tous, et tout ira à mer-veille, ma chérie. Qui sait, peut-être même que tu y prendras du plaisir.

Je jette la robe par terre et shoote violemment dedans.

— Qui est-ce ?

— Une star du petit écran, il me semble. (Je l'entends parcourir la liste.) Un dénommé... *Dylan Harris.*

Et… je craque.

— Faith Valentine ? Bienvenue chez Sketch. Votre table vous…

— DYLAN ? DYLAN HARRIS ? TU ES LÀ, DILLYYYYY ? PRÉPARE-TOI POUR LA SOIRÉE DE TA LIFE, BÉBÉ !

Parce que le « wooush » de colère qui m'a portée jusqu'ici est toujours incandescent.

— IL EST OÙ ? (Les têtes se retournent tandis que j'arpente le sublime restaurant en hurlant.) IL EST OÙ MON FUTUR MARI ? T'AS TIRÉ LE BON NUMÉRO À LA LOTERIE DES NÉNETTES, CHOUPINET !

Pour cette soirée romantique à souhait, j'ai choisi un bas de jogging cheap ultra ample pêché au fond des affaires sales de Max, un énorme sweat à capuche kaki de Papa, une paire de chaussettes fluo dépareillées et les sandales roses que Maman met au jardin.

Beauté simple. Pas *suuuuper* glamour.

— Oh mais *hello*, je fais en me servant un petit pain sur la table voisine. J'adore mais *trooop* les féculents gratos.

Je m'installe en face de Dylan, sourire aux lèvres.

Même sans l'avoir vu en photo, je n'aurais eu aucun mal à l'identifier. Mignon, bronzé, dents blanches aveuglantes, cheveux noirs gominés, yeux verts, il se retient à mort de se cacher sous la table.

— La forme, Dilly ? (J'enfourne le pain et postillonne des miettes.) Bien joué, la table près des chiottes. Gros petit déj', si tu vois ce que je veux dire. (Je me tapote le ventre.) Je croise les doigts pour qu'ils soient bien désodorisés, et j'ajouterais encore *si tu vois ce que je veux dire*, mais je crois que tu vois.

Clin d'œil. Lui, il ouvre des yeux ronds comme des ballons de foot.

Ma voix intérieure me hurle *Sois belle ! Sois élégante ! Sois féminine ! Sois gentille !* Mais pour une fois je ne l'écoute pas.

— … Faith ?

Je me gratte le sein gauche.

— Et comment ! Oh, et j'adore ton faux bronzage, Dilly-dou. Trop cool que tu puisses choisir une couleur qui n'existe même pas dans la nature, quoi.

Il ouvre la bouche.

— En fait c'est un vr…

— Gaffe au cancer de la peau, quand même, je l'interromps en secouant la tête.

244

Puis je me cale contre le dossier, les mains croisées derrière mon crâne rasé, et je le mate de haut en bas et de bas en haut. Sexy de chez Sexy, soyons honnête. Si vous aimez les garçons qui brillent comme une tranche de jambon aux nitrites. Perso, pas trop.

— Trop sympa, les fleurs, j'enchaîne en me curant le nez. (Je remue bien le doigt puis projette une crotte de nez imaginaire au loin.) Et les ballons en forme de cœur. Un chouille crevard mais bon… t'as gagné ! Me voilà ! Mon cœur t'appartient !

— C'est que, la compétition était rude et…

— Me coupe pas, steuplé. Bon alors, parle-moi de toi, Dilly-dilly-ho, je veux tout savoir. Qui tu es. Ce que tu fais. Ton CV. Version courte, hein. J'ai pas toute la nuit.

Il en reste bouche bée.

— Ah, euh… Je crois l'avoir mentionné, mais je suis actuellement sur Netflix. *Wolfgang*, une série, j'ai le premier rôle : lycéen normal le jour mais les nuits de pleine lune je me transforme en…

— Hamster pianiste ?

— *Nooon*… En loup-garou.

— Waouh. Pas le même délire.

— Exact. Et puis…

Je claque des doigts à l'attention du malheureux serveur.

— Deux assiettes de cabillaud. J'ai grave les crocs.

Dylan se racle la gorge.

— Moi je ne mange pas…

— Oh, tu vas adorer, mon chou. Fais-moi confiance. (Je me bascule en arrière, cale un pied sur la table et remonte une jambe du jogging.) T'as vu mes chevilles ? T'en penses quoi ? Pas mal, hein ? Tellement poilues que j'ai l'impression de me balader avec des caniches dans le pantalon.

Le couple d'à côté glousse.

Une fraction de seconde, je culpabilise. Et puis je me rappelle que ce parfait inconnu a raconté à la presse nationale qu'on avait une « connexion », qu'il pensait que c'était « enfin son tour » et que « notre heure avait sonné ».

Wooush.

— Bref, reprend Dylan, j'allais…

— Chhhh, je l'interromps en plaquant tendrement un doigt sur ses lèvres. Deux secondes. Besoin de me concentrer grave. (Je roule les yeux façon diva et j'inspire à fond.) Encore deux secondes. Bouge pas. Deux s…

Un rot de folie jaillit de ma gorge. Sourire triomphal, mains en mode ventilo.

— Purée. On aurait dit ma nouvelle Ferrari. Tu en as une ? Je parie que non.

Dylan ouvre la bouche.

— Gaffe, chéri, tu ressembles au poisson qu'on a commandé.

Les voisins pouffent encore.

— Tu ne… ressembles pas vraiment à l'image que je me faisais de toi, déclare Dylan en jetant un regard dans la salle.

Tout le monde nous mate. Il tressaute. Pas vraiment la publicité qu'il voulait, j'imagine.

— On s'est déjà rencontrés, tu t'en souviens sûrement, continue-t-il. À l'avant-première de ta maman, il y a quelques semaines. La Tate Modern. Tu étais… franchement différente.

D'où le coup du « vieil ami de la famille », c'est ça ? Parce qu'on s'est croisés *une fois* ?

Soirée moyenne, en plus : je me rappelle surtout avoir forcé Mercy à descendre d'une table de mixage, m'être crêpé les cheveux avec elle et avoir découvert bien plus tard que Hope avait tout entendu et décidé de fuir à l'étranger.

Pourtant, Dylan pense être l'élément le plus inoubliable de cette soirée…

— Aucun souvenir, je réplique en me curant une nouvelle fois le nez. Les beaux gosses, ils se ressemblent tous.

— Merci ! s'enflamme-t-il pour une raison qui m'échappe. J'ai un peu parlé à ta petite sœur. Elle me draguait à mort mais elle n'est pas mon genre. Un peu trop intense, tu vois.

Venant du mec qui m'a envoyé *une rose toutes les cinq minutes.*

En plus, je suis 100 % sûre que ma douce, romantique et optimiste petite Hope n'a pas dragué cette espèce de… OK, pas crédible : bien sûr qu'elle l'a dragué.

— Je l'ai vue draguer un berger allemand, je réplique. Un peu bigleuse, la fille, et pas trop fut-fut.

— Voici, mademoiselle, monsieur. Je vous souhaite un excellent appétit.

Deux micro-assiettes de cabillaud recouvert de fraises sont disposées entre nous. Rapide sourire au serveur. Il aura droit à un méga pourboire.

Bon, il est temps d'en finir. Encore un effort et je pourrai rentrer, me mettre en pyj', me taper un croque-monsieur, appeler Scarlett et me coucher. Mission accomplie. Dylan pulvérisé. Adieu la liste de garçons. Genevieve et Grand-mère ne m'enverront plus jamais nulle part en solo.

Pire rencard de l'Histoire ? En plein dans le mille.

— Euh…, je fais tandis que la star de *Wolfgang* prend sa fourchette. Minute, ta part est plus grosse. On échange ? (J'intervertis les assiettes, les réexamine.) Non, changé d'avis. Je préfère la mienne. Mais avec ta sauce. Et supplément de fraises.

Sourire banane aux lèvres, je transfère toute sa part ou presque dans mon assiette. En fait, Grand-mère avait raison : gros plaisir.

— Quoi ? je demande alors que Dylan me dévisage. (Un bout de poisson gicle de ma bouche.) Qu'est-che qui va pas ? (J'avale.) Tip-top, le rencard, pas vrai, Dillounet ? Moi je dis, t'es grave mon Élu. Je sens une *vraie connexion*. Genre c'est enfin *ton tour*. *Notre heure* a mais trop *sonné*, quoi.

Long silence.

Et là, boum, je cale.

— Tu sais, déclare Dylan en se penchant en arrière, mon agent disait que t'inviter à sortir serait formidable pour ma réputation. Fréquenter une Valentine devait booster ma carrière.

Je me concentre sur le cabillaud : oui, on sait tous pour quoi il est là, merci.

— Moi, je n'y tenais pas plus que cela, ajoute-t-il. Ne te méprends pas, tu es sublime mais tu m'as toujours paru... comment dire... barbante ? Glaciale ? Des accros au fitness, j'en fréquente des paquets. Elles sont toutes folles des loups du *streaming*. Mais c'est... un peu terne, tu vois ? Elles se ressemblent toutes.

J'avale un bout de cabillaud qui manque de me rester en travers de la gorge.

— Mais toi, tu n'es pas comme les autres. Avec toi, c'est... rafraîchissant. Comme un challenge. Je ne te plais manifestement pas et ça... j'adore.

Je bats des cils, dégoûtée.

— Donc, oui, acquiesce Dylan Harris comme s'il venait de prendre une décision. J'adorerais te revoir, Faith Valentine. Merci de me l'avoir proposé.

Non mais il se *fout* de moi.

DE LA ROMANCE DANS L'AIR

La sublime Faith Valentine a été aperçue hier soir avec la star de télé Dylan Harris, confirmant les rumeurs autour du nouveau couple sexy. Les tourtereaux se rapprochaient en secret depuis que Faith a rompu avec ce goujat de Noah Anthony. Et c'est donc hier soir qu'a eu lieu leur première apparition publique, au Sketch. « Elle a l'air super à l'aise », nous a confié un témoin. « Dylan est à ses pieds, abonde un ami mutuel. Il pense que Faith est peut-être l'Élue ! »

Nooooooooooooooooooooooooooooooon. T-zone en deuil. J'ai encore raté ma chance !

APPEL MANQUÉ : Noah

APPEL MANQUÉ : Noah

APPEL MANQUÉ : Noah

APPEL MANQUÉ : Noah

Slt ! On a oublié d'échanger nos numéros ! Relax, j'ai eu le tien par ton agent ! Je t'appelle. Dilly-dou xxx

APPEL MANQUÉ : Numéro inconnu

Fiesta ce soir : ça te dit ? D xxx

PS tenue correcte donc pas jogging et rase-toi ? LOL xxx

APPEL MANQUÉ : Numéro inconnu

APPEL MANQUÉ : Noah

Eff', TU M'EXPLIQUES ? C'est pour ça que tu avais besoin de « liberté » ? Pour voir d'autres mecs ?! Nx

À part ça, c'est moi la « folle ». Je réponds direct :

Noah, c'était une opé. Promis. Je ne vois personne. F xx

Je dirais bien à Dylan d'aller se faire f..., mais bon, j'ai trop dormi et suis encore à la bourre pour mon atelier théâtre. En plus, il le prendrait sûrement pour une déclaration de dévotion éternelle.

Bref, j'enregistre fissa son numéro au nom de **CHTARBÉ : NE PAS RÉPONDRE**. Et je descends en vitesse. Max surgit dans le couloir, il agite une bombe de chantilly.

— Ah, sœurette ! La forme ? Ton rencard de reprise, bien ? J'ai déjà éjecté ce minable quand il a voulu draguer Hope. Préviens-moi si tu as besoin de mes services.

Il me montre un biceps. J'attrape mon sac. J'adore mon frère, mais pas question de parler de mes escapades autres que romantiques avec quelqu'un qui se vide une moitié de bombe chantilly dans la bouche. Petit coup d'œil incrédule dans la cuisine.

— Max. Tu as... fait le *ménage* ?

— Hmm ? (Chantilly dans la bouche, déglutition.) Nooon. T'es folle ? Je rentre juste, là. Maman a dû jouer les fées du logis cette nuit.

Mince, Maman... Prendre de ses nouvelles après l'atelier. Maintenant, mes clés.

— Et toi, ta nuit ?

Max me sourit, une perle de crème sur le bout du nez.

— Fabuleuse. Tout ce que je peux dire, Eff', c'est que je reçois enfin toute l'adoration que je mérite. Moi-moi-*moooooi*.

Faut absolument prévenir cette pauvre fille.

— Et en parlant d'attention, enchaîne mon frère tandis que j'ouvre la porte, un nouveau cadeau pas super discret est arrivé pour toi, bourreau des cœurs. Un instant.

Il disparaît au salon, puis revient avec le plus gros, le plus pelucheux, le plus moche de tous les nounours roses que j'aie pu voir. Format vachette, avec entre les pattes un cœur marqué TU ES À MOI.

Ah non mais même pas en rêve, Dylan.

— Je te lis la carte ? demande Max en agitant une grosse patte. Cette fois il envoie du lourd. Poème et tout.

— Non, merci.

Et je claque la porte derrière moi. Le chauffeur m'attend déjà mais pas Genevieve, ouf !

Le cours est déjà bien lancé.

— J'AI UNE MITRAILLETTE ! rugit Diego en direction de Zoe. Et je compte bien m'en servir ! Essayez pas de m'en empêcher, essayez pas de…

Du moins, j'*espère* que le cours est lancé. Ou alors il faudrait examiner ce pauvre Diego, voire lui retirer son arme.

La semaine a été intense.

— Bonjour, me chuchote Mia avec un regard espiègle quand je m'installe à côté d'elle. Ton rencard avec Dylan Harris, alors ? J'ai lu le journal, ce matin.

Il est trop chou. Tu es dingue de lui ou c'est encore des mensonges ?

— 100 % fabriqué, je lui murmure avec un petit sourire.

— Je ne sais plus ce qu'il faut croire, se désole Mia en mimant l'explosion de sa tête. Bref. (Elle montre Diego qui beugle toujours sur Zoe.) On filme enfin, Effie ! Des vraies scènes ! Pour des vraies démos !

Ivy se penche en avant, les joues rosies.

— Impro d'abord, et cet aprèm avec texte.

Léger frisson. *Improvisation.*

De tous les genres où je suis nulle – c'est-à-dire *tous les genres* –, le pire c'est celui où je dois inventer mes répliques.

— Ils en sont où ? je demande, impressionnée. On a des scénarios ?

— Là, c'est le premier, indique tout bas Theo. Diego est censé jouer un moine du XVIe siècle mais il a viré Liam Neeson. Et Zoe tente de s'adapter.

— Je ne pense pas que ce soit une mitraillette, *mon père*, rame justement Zoe. Notamment parce que ces armes n'ont pas encore été inventées.

Échange de sourires entre nous.

— Moi, j'ai eu « Attente à l'arrêt de bus », me confie Ivy. Un poil déçue, pour tout dire. Je l'ai déjà joué en vrai il y a trois quarts d'heure.

— Moi, je suis hôtesse de l'air, indique Mia en bondissant sur sa chaise. Rafe jouera le pilote qui s'évanouit en plein vol et que je devrai ranimer pour éviter le crash ! Ça, c'est du *théâtre*.

— Trop injuste, peste Rafe. Comment veux-tu que je montre mes talents si je passe la scène dans les vapes.

— Quelque chose me dit que tu vas te réveiller, ricane Ivy.

Re-sourires.

Comme M. Hamilton nous fait les gros yeux, on se blottit les uns contre les autres.

Theo me montre un papier sur lequel est écrit : *Tu t'es fait prendre en train de voler à l'étalage.*

— Jem' joue l'agent de sécurité qui me traque depuis des années.

— Eh ouais, ironise la fille. Un paquet de chewing-gums et t'es bon pour la taule.

— AAAAAAAH ! hurle Diego dans son coin. (Il sort ce qui doit être une grenade façon XVIe siècle et abrège la scène.) BABOUM !

— Purée, Diego, rouspète Zoe. J'apprécie ton engagement, mais il nous restait encore sept minutes à tenir et j'ai à peine dit deux phrases.

— J'ai écouté mon instinct, se défend Diego.

— Je te jure…, râle Zoe.

Ils reprennent leur place en grommelant. La gorge nouée, je regarde les autres.

Je dois donc être avec…

— Zachary et Faith ! annonce justement M. Hamilton. C'est à vous ! Tâchez de tenir dix minutes, d'accord ? Ou bien on reprend les échauffements !

Caméra allumée ; Faith figée.

Il y a trois ans, je suis allée voir Maman jouer Hermione dans *Le conte d'hiver*, de Shakespeare. Il y a

255

une scène fabuleuse dans laquelle tout le monde la prend pour une statue mais elle revient à la vie. Là, moi, j'ai l'impression qu'il m'arrive l'inverse : je me retrouve enfermée dans un corps froid et rigide, incapable du moindre mouvement.

Merci les exercices de comédie, les échauffements, les encouragements. Je suis passée du stade de bout de bois à celui de dalle de *marbre*.

— Hé ! me lance Zach avec un coup de coude. Je me disais qu'on pourrait la jouer *romance*, Eff', non ? Genre, regards appuyés, main dans la main peut-être. Et pourquoi pas… s'embrasser ? Enfin, si tu es partante. Moi oui. Tout pour l'art, quoi.

— Bien essayé, ricane Jemima. On l'avait pas vu venir, ça, Z.

Je tente de sourire mais j'ai comme du béton dans les veines. Peux pas bouger, peux pas bouger, peux pas *bouger*.

— Tu peux le faire ! m'assure Mia en me pressant le bras.

Les autres m'adressent des sourires affectueux.

— Stresse pas, Eff' ! insiste-t-elle. Tu as ça dans le sang, pas vrai ? Tu es une Valentine !

— Tiens, intervient Zach en me passant un papier. Notre scène.

Je découvre : *Tu es assise dans la salle d'attente d'un hôpital.*

Pétrifiée, je me lève lentement.

— Et…, nous sourit M. Hamilton. Ça tourne !

40

Je me mets en position à deux à l'heure.

— Pfiou, fait Zachary avec un soupir à rallonge en s'asseyant sur une chaise. Les salles d'attente des hôpitaux, c'est vraiment la plaie. Pas vrai, bébé ? (Il me prend la main, m'embrasse sur la joue.) Qu'allons-nous bien pouvoir faire pour passer le temps ? Hmmmm ?

Mes camarades gloussent.

Je regarde Zach. On ne se croirait vraiment pas dans une salle d'attente. Déjà, les murs ne sont pas couverts d'affiches à moitié décollées sur les maladies intestinales ou l'importance des examens mammaires. Il ne flotte pas dans l'air une drôle d'odeur piquante et métallique. Rien n'est peint en vert menthe. Ma chaise n'est ni dure ni collante, et on n'est pas entourés d'inconnus inquiets ou épuisés.

Personne ne gémit, ne pleure, ne se tord de douleur.

— Elle va bien d'après toi ? s'inquiète Zach en me pressant la main avec un coup d'œil à l'horloge murale. J'espère, en tout cas. Ça fait des heures qu'elle est entrée.

Je mate aussi l'horloge.

Des heures, mon œil.

Des jours, des semaines, des années, plutôt, et des étoiles ont implosé, des civilisations sont mortes, les océans se sont asséchés, les forêts tropicales se sont vidées de leur faune et nous on est toujours là, les yeux rivés sur la porte.

— Tu penses qu'on devrait aller prendre un café ? me relance Zach en m'effleurant le genou. J'aurais bien besoin d'un remontant.

Je mate sa main.

Perso, je vais plutôt avoir besoin d'un somnifère cette nuit.

Je vais me retrouver en nage, le bras au-dessus de Mercy pour régler mon réveil à 6 heures, histoire d'écourter la nuit.

— Faith ?

À errer seule dans le manoir endormi.

— Faith ?

Ravagée de douleur.

— Ohé, Faith ? Tu es là ?

Impression qu'on m'arrache tout doucement la peau. Qu'on m'épluche comme une orange une orange une orange une orange *une orange*.

— Euh, Eff…

— MAIS LÂCHE-MOI ! ENLÈVE TA MAIN, D'ABORD ! ME *TOUCHE* PAS !

— P-pardon, je ne vou…

— NON ! (Je me lève d'un bond, tremble de tout mon corps.) M'APPROCHE PAS. JE VEUX PAS TES EXCUSES. JE VEUX *QUE TU CRÈVES*.

Faites que ça cesse. Faites que ça cesse. *Faites que ça cesse.*

— Faith, je…

J'attrape Zach par le pull, l'arrache de sa chaise et le traîne à travers la pièce.

— JE TE DÉTESTE ! je lui hurle en le plaquant au mur.

— Euh. (Battement de cils.) Je ne vois pas où tu…

Vlan.

— TU ÉTAIS SUR TON PORTABLE.

Vlan.

— SUR TON PORTABLE, ESPÈCE DE SALE ÉGOÏSTE. JE VEUX QUE TU SOUFFRES. JE VEUX TE TUER. JE VEUX TE BRISER EN MILLE MORCEAUX COMME TU NOUS AS BRISÉS.

J'ai la figure trempée : larmes, postillons, morve.

Vlan.

— Aïe-euh, Faith.

— TU M'AS LAISSÉ TOUT CE BORDEL. C'EST MOI QUI SUIS CENSÉE AVOIR LA TÊTE SUR LES ÉPAULES, TOUT NETTOYER, SAUF QUE JE PEUX PAS, JE SAIS MÊME PAS COMMENT M'Y PRENDRE ET J'AI PAS LA FORCE.

— Faith !

— ALORS JE ME FICHE QUE TU SOIS DÉSOLÉ. JE ME FICHE QUE TU NE TROUVES PLUS LE SOMMEIL. PARCE QUE TU ES UN ÉTRANGER, ET QUE TU VAS POUVOIR QUITTER CETTE SALLE ALORS QUE NOUS, ON POURRA *JAMAIS*.

— *Coupez*, Faith. *Fin de la scène.*

Je pleure carrément, aveuglée, toute tremblante.

— Et j'en ai *marre*, je chuchote. *Marre* de faire semblant. Je ne peux pas être actrice parce que je passe ma vie à jouer la comédie.

— *FAITH* ! crie M. Hamilton. Lâche Zachary avant de lui faire mal !

Toujours secouée de sanglots, je desserre les poings, observe mes mains.

Elles sont violettes.

Toutes violettes.

J'ai pété un câble.

— Hmm, fait Zach en se massant les épaules. Faith, tu te sens bien ? Enfin, euh, super investissement et tout, mais je crois que tu m'as déboîté l'épaule. (Il se tourne vers M. Hamilton.) En plus, j'aurais trop pu me libérer, mais la déesse possède une force étonnante. Je dis ça, je dis rien.

J'ai les yeux rivés sur mes mains.

Et voilà. Ce qui est arrivé à Maman m'arrive à mon tour. Comme une brume qui se lève et m'engloutit tout entière.

Le corps dans du coton, je me tourne face à mes camarades. Ils m'observent, sous le choc, crispés, livides, les yeux ronds, le regard vide.

— Oh, monsieur, souffle Zoe, une main devant la bouche. Vous lui avez donné *cette* scène ?

Et j'ignore comment faire pour…

Je refuse de…

Ils ont vu une chose que je ne peux pas reprendre. Je m'essuie le visage et récupère mon sac.

— Excusez-moi. Je suis navrée, vraiment. Il faut que… que j'y aille.

Qu'est-ce qui est rouge et qui monte et qui descend ?

Une tomate dans un ascenseur.

Que dit une noisette quand elle tombe à l'eau ?

Je me noix.

Quel est le mollusque le plus léger ?

La palourde.

Comment fait-on aboyer un chat ?

On lui donne une assiette de lait, et il la boit.

Quelle est la différence entre un crocodile et un alligator ?

C'est caïman pareil.

Tu connais l'histoire de l'armoire ?

Elle est pas commo...

— ... la lâche. Tu veux rire ? Elle n'est pas en état de se montrer en public ! Tu imagines l'*humiliation* ?

— C'est à elle de décider !

— Sans compter que les journaux ne parleront que de ça. Tenons-nous vraiment à ruiner notre réputation ? *Les Valentines : c'est officiel, ils sont zinzins.* Et ses cheveux, regarde...

— Perso j'aime bien. Trop mimi.

— Ça renforce surtout le côté *maboule*.

— Elle est vulnérable, tout lui tombe dessus en même temps. Elle n'est pas prête.

— Grave. Et c'est la seule de la famille qui compte. La *seule* qui ait des émotions. Ne l'oubliez pas.

Et moi qui comptais chialer tranquille dans mon coin quand je serais rentrée...

Pas étonnant que Hope ait fugué l'autre fois. Dans cette famille, on ne peut pas faire un pas sans déclencher une conversation. On devrait peut-être porter une clochette.

Bref, la rage remonte. Comme si j'avais découvert une méga-source en moi et que je n'arrivais plus à fermer le robinet.

— Et sa petite crise de l'autre jour, on en parle ? reprend Mercy, toujours en pétard. Qu'est-ce qu'on fera si ça...

— STOP ! je m'écrie en ouvrant la porte. VOUS POUVEZ PAS...

Clac. Un ballon en forme de cœur me gifle comme l'autre fois. Je le repousse avec violence.

— ... ARRÊTER ? (Le ballon s'en va en tirant sur sa ficelle rose.) Je ne suis PAS ZINZIN... (*Bon, peut-être un peu.*) NI PAS EN ÉTAT DE ME MONTRER EN PUBLIC... (*Là, si carrément, même.*)... et je ne vais pas vous HUMILIER... (*Sans doute que si...*)... et mes cheveux sont...

Un autre ballon me gifle.

Vlan.

— EST-CE QUE L'UN DE VOUS PEUT DÉGAGER CES FICHUS BALLONS ?!

Hope s'empare de la forêt de ficelles et les éloigne.

— Désolée ! Eff' ! Je les ai trouvés dans ma chambre ! Je sais pas de qui c'est, mais le jour d'avant il y avait des centaines de roses jaunes. Genre quelqu'un a trop mais alors trop craqué sur moi, quoi ! Sûrement un beau gosse de l'école. J'ai fait une impression de ouf.

Elle sourit, radieuse. Petit coup d'œil étonné à Mercy. C'est elle qui aurait fourré les roses dans la chambre de Hope ?

Notre grande sœur hausse les épaules.

— Écoutez, je reprends d'une voix beaucoup plus posée. Vous n'êtes pas obligés de m'enfermer ici comme une…

— Hmm, m'interrompt Max. Ne le prends pas mal, mais tu viens d'agresser physiquement deux ballons en forme de cœur, Eff'.

— En plus, ajoute Mer', tu as une pile de Post-it noircis dans les mains.

Je les fourre dans ma poche, toute rouge.

— Rôô, c'est bon, je me récrie. Si on ne peut plus secouer un cœur sans se faire…

— On ne parlait pas de toi, Eff', explique Max en me tapotant l'épaule. Mais de Maman. Elle est censée animer une vente aux enchères ce soir…

— Mais on ne peut pas la laisser sortir dans son état actuel, glisse Mercy.

— Moi je la trouve trop belle, intervient Hope la protectrice. Un peu comme les trucs que Maggie plante dans le jardin pour faire fuir les pigeons.

— Maman ? (Je bats des cils, mon cœur se serre.) Mais… qu'est-ce qu'ils ont ses cheveux ?

— Va donc voir par toi-même.

Un peu perdue, je vais toquer doucement à la porte de Maman. Il s'écoule une bonne minute avant qu'enfin elle s'ouvre.

Toc-toc, qui est là ?

— Oh, bonjour, ma chérie, prononce Maman le regard rivé au mien. C'est gentil de passer me voir. Mais je crains que tu ne puisses rester. J'allais sortir, comme tu le constates. (Elle recule vers sa chambre sombre qui pue le renfermé.) Sauf que je n'arrive pas à retrouver mon alliance. Que va dire ton père ?

Pas grand-chose, j'imagine, vu qu'il a une nouvelle chérie, qu'il n'habite plus avec nous et que vous êtes en plein divorce. Je m'engage dans la chambre nauséabonde.

— Euh, Maman ? Tu vas où, au juste ?

— À une soirée, ma chérie. Tous mes vieux amis y seront. Ils ont hâte de me voir, tu t'en doutes.

Je regarde son corps pâle et maigre.

Elle porte une longue robe de satin vert. Une vraie splendeur à l'époque, mais dans laquelle elle nage maintenant. Elle est pieds nus, et pas lavée. Ses cheveux blonds, d'ordinaire resplendissants, sont relâchés et tout gras. On voit les racines grises et une tonne de micro-bijoux dans la masse. Diamants, émeraudes, saphirs, améthystes ; colliers, broches, pendants. Elle scintille dans la pénombre comme le nid d'une pie particulièrement active.

Dans sa tête, Juliet Valentine incarne en permanence Ophélie dans *Hamlet*.

Elle n'était pas vraiment prête à arrêter la cure.

— Oh, Maman, je dis en m'avançant doucement. Qu'est-ce que tu as fait à tes cheveux ?

— Quelle beauté, ces cheveux. Toutes ces boucles.

— Maman.

— C'est ce que j'ai vu en premier, tu sais.

— *Maman.*

— Mais bon, il faut que j'y aille, ma chérie. (Elle prend sur sa commode une magnifique carte or et crème et me la tend.) Regarde. Ils disent que c'est une vente *de charité.*

J'ai une boule dans la gorge. Mon frère et mes sœurs avaient raison. Maman ne doit absolument pas sortir de la maison. D'abord parce qu'elle fera la une de tous les journaux demain, en loques, en vrac, cradingue, mais en plus ça finirait de détruire le peu qui est encore intact en elle.

Et c'est à moi de veiller à ce que ça n'arrive pas.

— Justement, j'improvise en lui claquant la bise. L'agence vient de m'appeler ! La vente de ce soir a été repoussée à dans deux semaines. Gros souci de traiteur. Problème de frigo, pas de boissons fraîches, amuse-gueules fichus, fiasco total !

Maman s'assoit délicatement sur son lit.

— Oh.

— Ils tiennent toujours à ce que tu l'animes, hein, dès que tout sera en ordre. Tu manques à tout le monde, tu sais.

Ma mère hoche vaguement la tête.

— Bien, ma chérie. Si tu penses que ça vaut mieux.

Elle cligne des paupières, se reprend, me fixe du regard. Une main toute douce se pose sur ma joue, et elle m'offre un sourire lumineux, d'une présence étrange.

— Merci, Faith. Tu as toujours été la plus *adorable* de mes petites filles.

Ma gorge se noue.

Je lui ôte avec délicatesse les bijoux qu'elle a dans les cheveux et les range dans un coffret en verre près du lit. Puis je remonte sur elle les draps de soie.

— Tâche de dormir, je lui chuchote en l'embrassant sur le front. Tu auras tout le temps de faire la fête quand tu iras mieux.

Maman hoche la tête et ferme les yeux. J'écarte un peu les rideaux et entrouvre la fenêtre ; vaporise un soupçon de parfum dans la chambre et récupère des assiettes encore garnies et des tasses de thé refroidi. Puis je retourne auprès de mon frère et de mes sœurs.

— Vous savez, je leur dis en leur donnant la vaisselle sale, vous pouvez y aller aussi. Elle ne va pas vous mordre. La tristesse n'est pas contagieuse.

— Ah ça, si, carrément, réplique Mercy, le regard plongé dans un mug.

— Et la suite, c'est quoi ? enchaîne Max en me suivant dans le couloir comme un toutou. Non, parce que les billets pour cette soirée étaient hors de prix, Eff. Des milliers de livres. Et personne ne va remplacer l'animatrice au pied levé gratuitement. On la gave de caféine et on la transporte ?

Je regagne ma chambre. Je ne me suis jamais sentie aussi Valentine : exaspérante, déglinguée, toquée.

— Non, je réponds calmement. Je vais m'en charger.

42

Je me prépare à ça depuis que je suis toute petite.

Robe haute couture, escarpins de créateur, pochette en édition limitée, parfum sur mesure, crème hydratante, fond de teint, highlighter, autobronzant, blush, contour, fard à paupières, épilation cils-sourcils. Des années d'expérience et de peaufinage qui me permettent d'épiler, vaporiser et tracer avec la précision et la rapidité mécaniques d'une employée sous-payée dans une usine de poulets.

Sauf que… je suis aussi le poulet.

Avec quelques minutes d'avance sur l'heure à laquelle John le chauffeur de limo doit arriver, je ramasse par terre ce qui ressemble à un spitz nain endormi et me le cale sur la tête. Une perruque (modèle « dentelle ») pas donnée, en vrais cheveux, à laquelle je claque une grosse bise de gratitude. *Merci de laisser traîner tes affaires, Mer'.*

Puis je me plante devant mon miroir fendu.

Ma robe touche le sol, elle est faite sur mesure et vaut des milliers de livres : des couches de blancheur absolue avec larges manches amples et fente latérale. Les escarpins Prada or me hissent à plus d'un mètre quatre-vingts et me font des jambes de dessin animé. La perruque est brillante, douce et noire, elle m'effleure les épaules. J'ai un visage de poupée : lèvres charnues, pommettes saillantes, petit nez, énormes yeux noisette avec cils touffus façon biche.

J'ai la peau brune et veloutée ; un corps mince et musclé. Du moins, en théorie : hormis ces derniers temps, je m'entraîne plus de quatre heures par jour depuis deux ans.

Grand-mère n'y trouverait rien à redire. Je suis parfaite.

Une vague de nausée me submerge.

— Hé ! lance Max, caméscope en main, quand je m'engage dans l'escalier. Souris, sœurette !

Sans même ralentir, je lui montre un doigt. Lequel, on s'en fiche. Puis, pimpante et parfaite, je grimpe dans la limo.

Je peux le faire. Je. Peux. Le. Faire.

Je n'aurai qu'à monter sur scène, être aimable, sourire, envoyer de la fossette, dire merci, lire ce qu'on m'aura écrit, et tout le monde sera content. Maman aura droit à son intimité, Genevieve aura du réel à poster, Grand-mère sera fière, les paparazzis auront leurs photos et l'organisation caritative ses sous.

Mens pour la bonne cause et la famille, Faith.

— Faith ! FAITH VALENTINE ! COMMENT VA TA MÈRE ?

— Est-ce vrai que tu remplaces Juliet, ce soir ? Qu'a-t-elle, cette fois ?

— Cette soirée ne devait-elle pas être son grand retour ?

La limo s'est arrêtée en douceur devant le Dorchester (façade crème comme une pièce montée, balcons en fer forgé, marquises à fanfreluches) et les paparazzis qui pullulent déjà m'interpellent à travers la vitre teintée.

J'attends cinq secondes que mes mains ne tremblent plus. Le temps que mon vrai moi s'enfouisse en profondeur, genre sous un rein ou le pancréas.

— Prête, je murmure. En avant.

Le chauffeur m'ouvre la portière et je sors pile comme on me l'a appris : genoux serrés, basculement des jambes, talons au sol, flexion gracieuse, relevé en douceur. J'envoie de la fossette aux médias.

— Bonsoir. (Flash flash flash flash.) Ma mère est indisposée, je le regrette, à la suite d'une intervention dentaire en urgence. Elle se remet bien. Merci de votre sollicitude.

Flash flash flash flash flash.

— ET DYLAN HARRIS ? (Flash.) Il te rejoint, ce soir, Faith ? (Flash flash.) Comment réagit Noah ? Ils se sont déjà rencontrés ?

— Tu resplendis, Faith ! Serait-ce l'*AMOUR* ?

— Ce soir, je réponds avec un sourire gracieux, tout ce qui compte c'est de récolter des fonds pour une excellente cause, et je suis donc naturellement ravie de m'y consacrer exclusivement pendant les prochaines quatre-vingt-dix minutes.

J'aurais dû y aller mollo sur l'highlighter.

— Faith ! Faith ! Est-ce que…

Un sourire tendre mais froid aux lèvres – *Chapitre clos* –, je me faufile dans la foule, dépasse les portiers, franchis les portes-tambours en verre et parviens à une salle de réception tout en marbre, dorures, panneaux de chêne, bouquets de roses et plafonds ciselés.

Fortunes et célébrités sont là. Smokings cintrés et robes luisantes, ça murmure poliment comme des pigeons de bois. Les têtes dodelinent pour mieux voir qui d'autre est là, et si on ne pourrait pas adresser la parole à quelqu'un de plus influent ou séduisant.

Grosse, grosse envie de les bombarder de ketchup. Ou de moutarde. Une amie proche de ma mère fend la foule dans un long manteau de fourrure – renard – et saisit ma main dans sa serre.

— *Effie* ! Oh, ma *chérie* ! Mais tu embellis à chaque instant ! C'est fou ce que tes cheveux ont pu repousser !

Tordant qu'elle ne fasse pas la différence entre le vrai et le faux, vu son manteau.

— Ça me touche, je réponds en souriant.

La femme se penche, inspire comme si elle voulait renifler ma clavicule :

— Et dis-moi… comment se porte ta *chère mère* ?

Au plus mal, c'est la débandade totale, merci.

— Comme un charme, merci.

Un producteur nous rejoint en resserrant sa cravate.

— Faith ! Cette beauté ravageuse ! Quel âge ça te fait, maintenant ?

Trois bonnes décennies de moins que toi.

— Seize ans !

— Ah *booooon* ! Et… hum… où est ton père, ces jours-ci ? Encore à Hollywood en train de peaufiner son nouveau chef-d'œuvre ?

— Papa est à Londres. (*Fais un pas de plus et il te tue de ses mains.*) Il se pourrait bien qu'il soit des nôtres ce soir, d'ailleurs.

Sûrement pas. Il déteste ce genre de soirées.

— Bien ! Je… euh… faudra qu'on se voie sous peu, lui et moi…

Mon téléphone sonne :

CHTARBÉ : NE PAS RÉPONDRE

J'annule ; ça recommence.

CHTARBÉ : NE PAS RÉPONDRE

— EFFIE ? m'interpelle de l'autre bout de la pièce une voix familière que je préférerais ne pas entendre. T'AURAIS DÛ ME RAPPELER ! ON AURAIT FAIT UNE ENTRÉE DU TONNERRE À NOUS DEUX.

Dylan se fraie un passage dans la foule en agitant son portable.

Oh nom d'un…

Je ne suis pas là depuis trois minutes que je n'en peux déjà plus. Si ça se trouve, tout le monde ne cherche pas un meilleur interlocuteur. Ils essaient peut-être juste de ne pas se parler.

En proie au désespoir, je scrute l'assemblée jusqu'à repérer un chignon blond platine dans un coin.

— Excusez-moi, je dis d'une voix sereine à la productrice soi-disant amie de ma mère. J'ai été ravie de vous revoir, mais je vais devoir m'éclipser, désolée.

Mme Fourrure passe en mode ragots dès que j'ai le dos tourné.

— Fille de... *Oui.* Charmant petit glaçon, vous ne trouvez pas ?

— Tout le contraire de sa mère, qui est une vraie...

Des acteurs comme ça, on croirait pourtant qu'ils auraient appris à baisser le volume, mais non.

Heureusement, leurs voix se perdent dans le brouhaha juste à temps. Lady Sylvia Valentine, entourée de sa cour élitiste, vêtue d'une robe Givenchy à paillettes, sa canne plantée comme un mât, m'interpelle :

— Ma chérie ! Je vous présente ma petite-fille, Faith Valentine.

Coup d'œil par-dessus mon épaule. Dylan mime avec les lèvres « Je te rejoins ? ».

En panique, je secoue la tête et me retourne.

— Dis-moi, Faith, m'interroge une dame, comment se passent tes *auditions* ? Si j'en crois ta grand-mère, tu es une élève *très* assidue.

— Cela dit..., acquiesce une vieille dame, à ta place je me consacrerais moins au travail qu'au repos : prends soin de ta beauté, mon enfant !

— Tout à fait, confirme un monsieur encore plus âgé. Tu dois protéger ce joli minois à tout prix. Notre chère Sylvia a toujours été une actrice de *genre*, un talent étincelant mais une beauté moins évidente. Tu ressembles davantage à ta mère, Faith. Premier rôle romantique.

— Exact, intervient un homme aux dents grises qui se penche sur moi comme si j'étais une part de gâteau. Et dis-nous, avec quels financiers travailles-tu, Faith ? Car il se trouve que j'ai des contacts avec...

J'ouvre la bouche.

— Si vous n'y voyez pas d'inconvénient, glisse en douceur Grand-mère, l'actrice de genre aimerait bien s'asseoir. Mes jambes ne sont plus ce qu'elles étaient. Faith, mon ange, tu veux bien ?

Et elle m'entraîne d'une petite main pâle.

— Tu es fatiguée ? dis-je, étonnée, quand on se retrouve au calme. Si tu veux je peux aller te chercher un...

— Ne sois pas naïve, mon enfant. Je me demande parfois ce que tu as pu retenir de mes leçons. Bien. (Elle abaisse ses lunettes à monture dorée et me fixe du regard.) Je connais la raison de ta présence ici, Faith, et je t'en sais gré. Ta mère est mon unique enfant, et je ne voudrais pour rien au monde qu'elle soit parmi nous ce soir.

Une clochette tinte, les gens sortent par une porte latérale. Une dame vêtue d'une jupe soigneusement froissée se précipite vers nous, les mains jointes.

— Faith ! *Enfin*, il faut de toute urgence que...

Ma grand-mère lui adresse un regard. La dame repart aussi sec.

— Moi-même j'ai proposé d'animer cette soirée, reprend Grand-mère en rajustant ma perruque. Mais ils veulent du sang neuf. Du sang qui risquera moins de se cailler, j'imagine. Surtout n'oublie pas, Faith, quoi qu'il arrive… tu es une Valentine.

— Oui, Grand-mère.

— Nous sommes certes des gens puissants, mais nous restons à la merci des personnes réunies ici.

— Oui, Grand-mère.

— Les Valentines Sont Classe En Toute Circonstance.

— Plutôt quatre fois qu'une, Grand-mère.

Échange de regards.

Oups. J'ai dit ça tout haut ?

Grand-mère hausse les sourcils.

— Lady Sylvia Valentine ? toussote derrière nous la dame à la jupe soigneusement froissée. Mille fois navrée, mais je dois vraiment préparer Faith. Si vous voulez bien vous diriger vers la salle de bal, nous vous avons réservé la *meilleure* table.

Je passe une langue nerveuse sur mes lèvres et me tourne vers ma grand-mère.

— Merci.

Elle pose une petite main sur mon épaule et la serre.

— Ce que j'essaie de te dire, ma chérie, ajoute-t-elle avec un sourire aussi minuscule que rare, c'est *bonne chance*. Je suis sûre que tu vas nous rendre tous très fiers.

43

Tu vas nous rendre tous très fiers.

Dans une salle en retrait, on me saupoudre de matifiant, on refait mon rouge à lèvres et on me passe en silence un script. Une porte s'ouvre, un serveur m'apporte un verre d'eau pétillante. Dieu merci ! Derrière lui, la salle de bal scintille et bourdonne de rires et de conversations.

Un effet Larsen retentit sur la scène. Je m'humecte les lèvres et bois une gorgée d'eau.

Tu vas nous rendre tous très fiers.

On me remet du rouge à lèvres avec un petit « tsk-tsk ».

— Mesdames et messieurs ! (Tap.) Votre attention, je vous prie. (Tap.) Soyez les bienvenus pour cette soirée destinée à collecter des fonds pour le S.P.A. Je vous demande d'accueillir très chaleureusement celle qui va être votre hôtesse, la très glamour et sublime actrice Faith Valentine !

Applaudissements.

J'ai les mains si moites que je n'arrive pas à ouvrir la porte. Une serveuse au visage d'ange, un plateau de crevettes dans une main, me la tient. Je lui souris. Puis j'inspire à fond, je monte sur scène et je prends délicatement le micro.

Tu vas nous rendre tous très fiers.

L'éclairage m'aveugle un instant, les applaudissements redoublent puis retombent, et là, boum, je me retrouve à neuf ans : sur scène, vêtue d'un drap blanc, coiffée d'un chapeau de ma mère et chaussée de ses baskets.

J'avale ma salive, bats des cils.

Pas mal de ces visages étaient présents, ce soir-là : célébrités, riches et puissants, réunis sous la grande tente blanche, ils portent un toast à mes parents pour leur anniversaire de mariage. Ils se marrent de voir Max manier une corde à sauter, pendant que Hope danse tout de turquoise vêtue, et que Mercy nous vole la vedette à tous dans sa robe rouge.

Je n'ai pas revu ces gens depuis... des années. Presque deux, pour être précise.

Concentre-toi, Eff. Sourire mesuré. Je tapote le micro. Tap tap. Coup d'œil au script qui défile sur l'iPad posé sur le podium.

— Bonsoir à tous. Je suis Faith Valentine. C'est un plaisir extraordinaire d'être ici ce soir, entourée d'amis et de proches. Des personnalités au talent énorme, au cœur gros comme ça et au compte en banque bien garni.

Éclat de rire général.

— *Wou-hou*! s'écrie Dylan, au fond de la salle. Ça, c'est ma meuf!

Mes yeux s'habituent aux projecteurs. Je repère ma grand-mère à une table près de la scène. Les mains pliées, les lèvres plissées, elle m'observe d'un regard gris et froid.

— Je suis ravie d'être devant vous, je poursuis, pour présenter les articles qui nous ont été généreusement offerts afin de récolter des fonds en faveur de l'association...

Coup d'œil à l'iPad. *Non mais je rê...*

— Sanctuaire Pour Artistes, ou... (Je m'éclaircis la voix.) S.P...

— Ça se prononce spa, me siffle une dame en coulisse.

— Oui, donc... Cette toute nouvelle association offre un refuge aux actrices et acteurs qui ont besoin de récupérer.

C'est juste pas possible, ça.

— Nous serons tous d'accord, je pense... (Coup d'œil à l'iPad, petite gorgée d'eau.)... pour dire que nous faisons des métiers *épuisants*. Nous consacrons nos vies à la recherche de la vérité. De l'*art*. À l'exploration de l'essence même de l'humanité. Dans des circonstances souvent difficiles, au détriment de notre santé.

Coup d'œil à ma grand-mère. *Tu vas nous rendre tous très fiers.*

Et brusquement, je ne peux plus.

Juste… *non.* Je m'accoude au podium.

— Car, soyons honnêtes… Personne n'a davantage besoin de repos que ceux qui gagnent leur vie en jouant à faire semblant, n'est-ce pas ? (Je fais semblant de réfléchir.) À part peut-être les infirmières. Les docteurs. Les pompiers. Les enseignants. Les policiers. Les militaires. Les agriculteurs. Les couvreurs. Les urgentistes. Les plombiers. Les électriciens. Les chauffeurs de taxi. Les femmes de ménage. Les restaurateurs. Les serveurs.

La fille au plateau de crevettes lève les yeux vers moi.

À cet instant précis, une décharge de colère incandescente et incontrôlable me foudroie de la tête aux pieds.

Wooush.

— Allons-y, d'accord ?

Je supprime le script et tapote l'écran pour faire apparaître le premier lot. Une fureur épaisse pulse en moi tandis que je saisis mon marteau miniature.

— Voyons voir… des multimillionnaires comme nous… qu'est-ce que ça refourgue quand ça veut lever des fonds pour d'autres multimillionnaires ?

La photo d'une plage tropicale apparaît sur l'écran géantissime derrière moi.

— Ha, je m'esclaffe. Un séjour cinq étoiles pour celles qui font semblant d'être des infirmières. Je lance l'enchère à deux livres cinquante. Qui est preneur ?

Silence total dans la salle.

— *Vous*, monsieur. (Je pointe le doigt sur un serveur occupé à nettoyer une tache de vin rouge sur une nappe blanche et donne un coup de marteau.) *Adjugé vendu.* Félicitations, à vous les Bahamas.

Le serveur renverse la bouteille de vin.

Un grand sourire aux lèvres, je retapote l'iPad et jette un coup d'œil dans mon dos.

— Comme c'est charmant, un donateur anonyme offre une Porsche 911 3.8 Carrera verte, une des quatorze voitures qui dorment en ce moment dans un garage, et dont le propriétaire se sépare pour raisons fiscales.

J'observe le public avec soin.

— Trois livres, j'annonce au micro. Trois livres pour ce magnifique tas de ferraille qui vaut davantage qu'un acompte pour une vraie maison. Ça intéresse quelqu'un ? La serveuse aux crevettes, je prends ça pour une enchère. (Coup de marteau.) Adjugé vendu pour trois livres !

La fille en lâche son plateau.

— Qu'avons-nous ensuite ? Tableau déprimant d'une blonde morte dans une barque. Cinq livres ?

Le producteur lève la main, j'hallucine.

— Personne ? Non ? Bon, alors quatre livres ? Personne n'a quatre livres à cracher pour une vieille toile de maître ?

La porte des cuisines s'ouvre. J'agite mon marteau en même temps qu'un vieux type en chemise blanche et pantalon noir entre avec un plateau chargé de coupes de champagne.

— *Vous.* Cette interruption compte comme enchère, j'en ai peur. Félicitations, vous êtes l'heureux propriétaire d'une œuvre d'art exquise.

— Qu-quoi ? s'étrangle le serveur. (Il s'écroule sur une chaise, se prend la tête entre les mains.) Ça alors !

La salle bouillonne. Tout le monde cherche à examiner les serveurs dans l'ombre – ces gens qui les servent, qui nettoient après eux – comme s'ils ne les avaient *réellement jamais vus de leur vie.*

— Tu n'as pas le droit ! s'indigne un acteur en se levant. C'est *ma* Porsche, espèce de petite…

Les appareils photo se déchaînent.

— Asseyez-vous, monsieur, je vous prie, je lance au bonhomme avec mon plus beau sourire. (La rage ne me quitte pas.) Merci pour votre crise de la cinquantaine, elle va bien nous rapporter dix livres ! Mais tâchons d'en finir. Cinq *pence* pour chacun des lots restants. (Bang.) Le mec avec les petits-fours, vous gagnez un collier de chez Tiffany. (Bang.) Celui qui dessert la table 6, vous gagnez un yacht. (Bang.) Un ordinateur portable flambant neuf pour la dame aux pâtisseries. (Bang.) La demoiselle qui balaie dans le coin, désolée, vous venez de gagner un dîner bien naze avec ce crétin.

Un portrait géant de Dylan apparaît derrière moi.

— Faith ! s'indigne l'intéressé. C'est *toi* qui étais censée enchérir ! Comme dans les films, tu m'achetais, trop romantique !

— Allez, celui-là c'est cadeau, j'enchaîne en me tournant vers la jeune femme de ménage. Encore désolée, mais surtout, prenez du homard.

L'air ravie, la fille fait coucou à Dylan qui s'écroule sur sa chaise, les bras croisés. Je contemple la salle dans laquelle règne un chaos généralisé. Tap tap tap.

— Ce sera tout pour ce soir. Je tenais aussi à vous remercier au nom de la famille Valentine. Merci de nous avoir si bien tourné le dos ces deux dernières années.

Sourire charmeur à la cantonade.

— Merci en particulier à ceux qui ont ignoré ma mère quand elle avait grand besoin d'eux. Elle était votre amie, votre partenaire à l'écran et votre mentor depuis trente-cinq ans. Votre comportement a été des plus instructifs.

Une fraction de seconde, mon regard se pose sur Grand-mère et j'ai honte. Elle est rigide, livide et paraît tout à coup très, très âgée.

— Vous connaissez l'histoire de la crêpe ? je demande à l'assistance. ELLE VA VOUS RETOURNER.

Silence de mort tandis que je pars d'un rire hystérique. Puis je conclus :

— Je lève mon verre à toutes les personnes présentes. C'est officiel, on est tous bons pour le S.P.A.

Et je lâche le marteau.

Bang.

44

Qu'est-ce qui est facile à attirer
mais difficile à chasser ?

Les ennuis.

Je descends de scène et ne m'arrête pas.

Tête haute, je sors du Dorchester et trace dans Londres. Je contourne Hyde Park Corner, double le palais de Buckingham, la cathédrale de Westminster, le Tesco Express et l'ambassade de Lituanie ; je franchis la Tamise sur Vauxhall Bridge ; puis traverse Stockwell, arrive au Lidl et enfin à la O2 Academy.

Deux heures de marche à la lueur des réverbères. Quinze minutes dans des Prada de torture, le reste en boitant avec une entorse à la cheville et la plante des pieds couverte d'ampoules. Sur des trottoirs crasseux. Mais on ne va pas se mentir : je ne sens presque pas la douleur.

Ça. *Vibre*. En. Moi.

Bzzz bzzz bzzzz. Bzzz. Bzzz. Bzzzzzzzzzz bzzzzzzz bzzzzz.

Bzzzzzzzzzzzzzzzzzzzzzzzzzzzz...

Ça, c'est le bruit d'une sonnette électrique, hein, pas de moi. C'était une métaphore.

— Quelle agressivité, dis donc. Entre, qui que tu sois. Cinquante-quatrième étage. Ascenseur pété.

La porte cliquette.

Je baisse les yeux : ma cheville gauche est enflée, mes pieds gris foncé constellés d'ampoules blanches. J'ai une petite coupure sous le droit qui laisse une légère traînée de sang à chaque pas.

Coup d'œil à l'escalier en béton. *Cinquante-quatre étages.*

Cool.

Je grimace et me lance. En boitant. *Premier étage. Deuxième...*

Aïe.

Troisième.

Non, sérieux : aïe.

Quatrième...

Je m'appuie au mur pour me masser la cheville. Une ampoule gicle son liquide sur mes doigts. Marilyn avait sûrement le même problème.

Et je m'y remets. *Cinquième...*

— Faith ? rigole une voix de l'étage du dessous. Tu vas où, patate ? En plus c'est quoi le sang que tu laisses par terre comme une limace qui aurait ses règles ?

Je regarde en contrebas. Le visage d'elfe de Scarlett, couvert de taches de rousseur, est calé au-dessus de la rampe, braqué sur moi, les yeux écarquillés.

— T'as pas dit cinquante-quatrième étage ?

— Si, mais je blaguais, meuf. (Éclat de rire porcin.) On est à Brixton, pas à Dubaï.

Je relève la tête. *Ooooh.* Je rougirais bien, si tout mon sang ou presque n'était pas étalé sur les marches.

Alors je grimace et redescends au quatrième, chez Scarlett.

— Des escarpins Prada, ça te dit ? je lui propose en arrachant ma perruque et m'écroulant par terre. Pas forcément recommandés pour la randonnée.

Scarlett prend ces horreurs dorées, les observe à la lumière puis les jette.

— Hmm, je passe mon tour, merci. Et ce petit chien de race ? (Elle tapote d'un orteil ma perruque.) Oublie, je crois qu'il est mort.

— Pas trop tôt. Il m'a pris la tête toute la soirée.

On glousse.

Scarlett se laisse ensuite glisser contre le mur de son salon pour s'affaler près de moi. Des centaines de personnes m'ont observée ce soir, devant l'hôtel, dans la salle de bal, pendant ma balade pieds nus dans Westminster, mais c'est la première fois que j'ai l'impression qu'on me *regarde* vraiment.

— Raconte-moi tout, vas-y, me relance ma copine en m'enveloppant les pieds dans un pull. Avant la septicémie. Je veux tout savoir.

Je me racle la gorge, inspire à fond et me remémore ma journée.

— Bon, alors... j'ai encore crisé. Et pas qu'à moitié. J'ai... euh... pété un câble en cours d'impro, ce matin. Devant tout le monde. Me suis laissé... emporter.

— Emporter comment ?

— J'ai chopé un quasi-inconnu par les épaules, je l'ai poussé sur dix mètres, je l'ai cogné à plusieurs reprises contre un mur, je lui ai beuglé des menaces de mort et je me suis mise à pleurer en mode hystérique. Voilà, quoi.

Scarlett éclate de rire.

— Donc c'est le mec qui s'est laissé emporter, Eff'. (Coup de coude.) Pas le bon moment pour les blagues ? OK, continue. L'exo, c'était quoi ?

— Rien, juste un... une impro.

Pas envie d'entrer dans les détails. Scarlett fronce les sourcils.

— Faith. Tu es au courant que tout le monde pète un câble en cours de théâtre ? C'est le but du jeu. Tu paies pour. Si tu agites une bouteille d'émotions intenses, c'est obligé que ça mousse et que ça explose.

J'ouvre de grands yeux.

— T'es sérieuse ?

— Grave. Quand je prenais des cours, tous les jours t'en avais un qui pleurait, hurlait ou vomissait. Et ils étaient ravis. C'est le signe qu'on progresse.

Hum.

— Alors, je ne suis pas... folle ?

— Mais si, bien sûr. Tu es actrice. (Scarlett me ressort son sourire du Joker.) Eff', c'est génial ! Je savais que tu pouvais le faire ! Tu vas devenir une star en moins de deux. Félicitations ! Et sinon, il t'est arrivé quoi d'autre, aujourd'hui ?

Elle pointe son doigt sur mes pieds ravagés.

Mon estomac se retourne, la bile monte.

J'ouvre la bouche. L'adrénaline reflue. Je retrouve des sensations dans les pieds. Et je prends la mesure de ce que j'ai fait ce soir.

Le visage horrifié de Grand-mère.

Le petit monde du cinéma réuni.

Le scandale.

Mon chant du cygne dans l'oubli.

Je ne pense même pas qu'ils méritaient un tel speech. La majeure partie de l'assistance ne connaissait sans doute pas personnellement ma mère. Ces gens étaient juste là parce qu'on leur avait dit de venir.

La honte, la culpabilité et la peur me tordent les boyaux.

Tu vas nous rendre tous très fiers.

— Non-non, je fais, toute gênée, en me blottissant dans ma robe blanc sale. Rien d'autre, c'est tout.

— Sûre ?

— Hmm-hmmm.

— Du coup… (Scarlett plisse le front.) Tu n'as sûrement pas distribué des Porsche, des diamants, des séjours de rêve ou des tableaux hors de prix ce soir ? Pas terrible, ton vendredi, alors.

Je la regarde. Elle éclate de rire et me montre son portable.

— Internet ne parle que de ça. Des fois, je crois que tu oublies qui tu es.

FAITH VALENTINE
EN MODE ROBIN DES BOIS

Ma main se plaque sur ma bouche.

— Oh la vache. Je suis une voleuse ?

— Mais tout à fait. (Scarlett fait défiler l'écran.) La plus célèbre du monde, d'ailleurs. Lis.

Je lis l'article.

Ce soir, Faith Valentine – petite-fille de la très estimée Lady Sylvia Valentine – a offert 2,8 millions de livres de donations au personnel d'une vente aux enchères qui se tenait au Dorchester. « J'ai 32 livres sur mon compte, indique Tim McConnell, un serveur de 61 ans. Et je me retrouve propriétaire d'un yacht. Je ne sais pas trop quoi dire. »

Le geste politique de Faith, déjà salué par une standing ovation, est depuis soutenu par d'éminentes figures du cinéma. « Pas trop tôt, a tweeté un acteur célèbre. Répartissons les richesses. Faith, tu nous inspires. Rebaptisez S.P.A. Soyons Plus Altruistes et je donne tout de suite. »

La jeune actrice, qui a également offert une rivière de diamants de chez Tiffany, un tableau de maître, un séjour dans les îles et une Porsche 911, s'est éclipsée sitôt l'événement terminé. Sa grand-mère, également présente à la soirée, n'a pas pu être jointe non plus.

— Tu devrais peut-être criser plus souvent, Valentine, sourit Scarlett en me serrant la main. Toi et nous tous, d'ailleurs.

Je lui rends son sourire et son geste. Mes yeux me picotent en même temps que je découvre une expression inattendue sur son visage.

Mon téléphone sonne. Je refuse l'appel sans regarder l'écran. Et je plisse le front. Le regard de Scarlett exprime une tristesse que je ne lui connaissais pas. Sa mâchoire est crispée, sa lèvre supérieure tremblote.

— Scarlett ? Raconte-moi tout. Avant la septicémie.

Elle se marre, puis souffle lentement :

— Ben, je... On m'a proposé de jouer Éponine dans la tournée US des *Misérables*.

Ça me laisse baba. Je me relève.

— Non. Non, Letty. Pas possible ! C'est... MÊME MOI JE CONNAIS CE RÔLE ET JE CONNAIS RIEN AUX COMÉDIES MUSICALES ! TROP FORTE !

Tiens, je ne savais pas que je pouvais crier comme ça... Je bondis tandis que mon téléphone se remet à sonner. Je l'ignore.

— On a une adresse à New York ! Tu pourras y descendre ! Et moi je passerai te voir, on se fera des spectacles à Broadway, tu vas te produire à Boston, dans le Colorado, à Chicago. Je te raconte pas leurs pizzas épaisses, et aussi…

Elle fond en larmes. Je me rassois aussi sec près d'elle, inquiète.

— Oh, Scarlett ! Faut pas stresser comme ça ! L'Amérique c'est hyper cool et tu vas déchirer ! Tu es *faite* pour ce rôle !

— Mais *je sais bieeen* ! gémit-elle. Je chante « On My Own » sous la douche en me décrassant le visage depuis que j'ai trois ans. Ce rôle, il est pour moi. Pour *moi*.

— Ben alors pourquoi tu…

— Parce que je ne peux pas l'accepter ! (Hoquet. Essuyage des yeux.) Le tournage de *Deux semaines d'horreur* commence dans huit jours en Islande, mon contrat court sur six mois. Je peux pas risquer le procès.

Mon téléphone sonne encore. Je refuse encore.

— Mais tu ne pourrais pas… Il y a forcément un moyen de…

— Non. Impossible. La chaîne a pris un risque énorme en confiant un rôle aussi important à une inconnue. Je peux pas les lâcher à la dernière minute. Tu le sais bien, Eff.

On reste là, le regard dans le vide.

Je meurs d'envie de la réconforter, mais c'est elle qui a raison : si elle lâche la série, elle flingue sa carrière.

Mon téléphone revient à la charge.

Noah

Coup d'œil au sublime visage de mon chéri sur l'écran. Lui aussi a dû lire les actualités.

— Breeef, fait Scarlett en s'essuyant la figure, un micro-sourire aux lèvres. Tu comptes répondre, ou tu préfères que je m'assoie encore sur ce pauvre mec ?

Je me mords la lèvre, coupable.

— Je vais répondre. Peut-être. Pas sûr. Je lui ai demandé du temps mais… (Ma poitrine se resserre.) Il faut que je prenne une décision. Je le sais. Il a assez mariné. Sauf que je… je ne suis pas… je…

Purée, mes baskets, jamais là quand j'ai besoin d'elles.

La sonnerie cesse, l'écran s'éteint. Ma copine s'empare délicatement de mon portable, le pose par terre puis se lève.

— Avant que tu te décides, j'ai un truc à te montrer.

45

Que dit le médecin quand un squelette vient le consulter ?

Je vais d'abord vous os-culter.

Hmm, c'est l'heure du ménage, donc ?

Bouche bée, je regarde Scarlett s'activer : elle repousse le canapé-lit contre le mur, retourne la table basse. Puis elle roule le tapis et l'appuie contre la porte ; elle déplace trois coussins ; range un grand yucca dans un coin.

De plus en plus perdue, je constate qu'elle dégage un grand espace dans le salon. Et moi qui croyais qu'elle aimait le bazar. Elle veut quoi ? Qu'on se fasse un combat de catch ?

Quand la pièce est presque vide, Scarlett se met à pêcher des petits objets un peu partout : la télécommande du téléviseur, un escarpin Prada doré, ma perruque, une tasse de thé froid, une moitié de bougie, un cadre-photo, le manuel de Stanislavski, un petit cactus, un robot jaune.

Puis elle les pose par terre, l'un après l'autre. Légèrement essoufflée, elle installe une casserole et remet sa frange en arrière.

— OK. Au milieu, s'il te plaît, Valentine.

Je bloque sur elle, puis sur la forme qu'elle a dessinée au sol avec ces objets.

Bon, Scarlett Bell est sans doute ma meilleure amie et je l'estime énormément, toussa-toussa, mais là ça ressemble à un truc satanique, juste avant le sacrifice humain.

— Là ? je veux savoir.

Je me lève, pas bien rassurée.

— C'est un cercle, Eff, s'esclaffe Scarlett. D'un point de vue géométrique, il n'existe qu'un seul milieu. Tu t'y cales, c'est pour un exercice.

J'obéis bien sagement, m'assois au milieu du cercle.

— Je suis censée entrer dans ma bulle, maintenant ? je demande avec un regard anxieux vers le manuel de théâtre. Parce que je t'avertis, ma grand-mère a tenté de m'enseigner cette technique un paquet de fois et je ne suis pas hyper...

— Oublie Stanislavski. Reste assise.

Sur ce, Scarlett va chercher un sachet de Mars, des biscuits au gingembre, des chips et un gros pot de bonbons aux fruits. Puis elle grimpe sur une chaise et se met à manger bruyamment.

Mon ventre gargouille ; deux crises de nerfs, zéro petit-four et une longue marche à pied dans Londres, ça ouvre l'appétit.

— Dis, je peux avoir…

— Non, me coupe Letty. Tais-toi, s'il te plaît.

Ah d'accord, compris. Elle compte me priver de sucre pour me forcer à dire tout ce qu'elle voudra.

— Et je suis censée res… *AÏE.*

Je viens de me prendre un bonbon en pleine face. Goût citron vert.

— Oups, dit Scarlett en enfournant un biscuit. Pas fait exprès. Désolée.

D'un nouveau coup de poignet bien volontaire, elle m'envoie un bonbon sur la tête. Je la regarde.

— Hé ! Tu fais quoi, là ?

— Rien.

Cette fois c'est un mini Mars qui s'écrase sur mon nez.

— *Scarlett* ! je m'exclame en sursautant. Je ne sais pas ce qui se passe, ni à quoi on joue, mais je…

Un biscuit au gingembre me percute le ventre.

— Purée, mais… (Une poignée de chips.)… tu veux bien arrêter de me jeter des trucs ? Je sais que ça te plaît, de balancer de la bouffe sur les gens mais…

— C'est quoi, le problème ? (Scarlett fronce les sourcils et jette un bonbon.) La dernière fois, tu as riposté.

— Oui mais…

Ses yeux rivés aux miens, elle renverse le yucca. Puis elle écrase le robot, shoote dans la tasse de thé qui gicle partout, et balance la télécommande contre le mur. Elle dégomme tout comme une malade. Puis elle enjambe le yucca en souriant.

Son sourire du Joker.

Elle s'avance vers moi. Mon cœur cogne. Ma gorge se noue. Ça me démange partout et j'ai hyper chaud. J'ignore si c'est un jeu censé nous rapprocher mais je *n'aime pas du tout*.

— Letty…

Ma copine me pousse du doigt.

— Hmm ?

— Arrête ça, s'il te plaît.

— Je ne fais rien.

Elle me pousse encore.

— Si. Tu me pousses. Et je te demande d'arrêter, s'il te plaît.

— Ah mais t'es pas au courant ? (Pousse.) On est dans *mon* salon. (Pousse.) Ça, c'est *mon* doigt. (Pousse.) Et si j'ai envie de te le coller dans la face… (Pousse.) Je le colle dans ta face.

J'ai une boule dans la gorge, les larmes qui montent. *Pleure pas, pleure pas, pleure pas, pleure pas…*

Au lieu de ça, d'instinct, je me retourne, prête à courir. Scarlett m'attrape par le poignet, me ramène de force au milieu de son cercle et m'y maintient fermement.

— Tu fuis encore, c'est ça ? Eh ben moi, je ne vais pas te laisser faire. Tu en dis quoi, *Valentine* ?

Cette fois, ce n'est pas un « wooush » tout chaud qui m'envahit. C'est une lame froide qui me transperce.

Une colère vive et nette. La mâchoire crispée, je me dégage.

Puis je m'accroupis et ramasse des trucs : la tasse de thé, le yucca, la télécommande, le jouet cassé, la perruque, la demi-bougie, la chaussure dorée. Et deux trois autres trucs pour faire bonne mesure : des coussins, un ordi portable, un sac à main.

Luisante de rage, je vais ensuite les disposer dans la partie dégagée de la pièce.

Scarlett amorce un pas dans ma direction.

— NON ! je hurle en me redressant.

— Excuse-moi ? fait-elle, les sourcils levés.

— J'AI DIT NON !

Posture de ninja, tremblements de fureur glacée.

— Je n'aime *pas* qu'on me jette des trucs à la figure. Je n'aime *pas* qu'on me dise de la boucler. Je n'aime *pas* qu'on me pousse. Je n'aime *pas* qu'on me tire ou qu'on m'agrippe. Je t'ai *demandé* d'arrêter mais tu as continué. Alors RESTE EN DEHORS DE MON CERCLE !

Tout essoufflée, je ramasse un bonbon rouge et l'enfourne.

— HMMMMMMM ! j'ajoute en mâchant d'un air de défi. DÉLICIEUX.

J'avale aussi les poils et la poussière qui y étaient collés.

On se toise.

Vas-y, allez. Je relève le menton, serre les dents. *Vas-y. Frappe-moi. FRAPPE-MOI, SCARLETT. MANQUE-MOI ENCORE DE RESPECT JUSTE UNE FOIS ET TU VAS VOIR.*

Et elle se met à applaudir lentement, avec un rire satisfait.

— *Voilà.*

Elle s'avance jusqu'à la limite de mon joli petit cercle. Son visage a repris sa douceur ; envolée l'expression du Joker.

— Le but n'est pas de faire semblant qu'il n'y a rien en dehors du cercle, Eff. Le but, c'est de te dessiner un cercle et de décider ce que tu acceptes d'y faire entrer.

Elle ramasse le jouet écrasé puis poursuit :

— Tu as le droit de réclamer ce que tu veux. Tu as le droit de dire *stop* et *non*. Ça s'appelle avoir des limites. Toi, tu n'arrêtes pas de « péter des câbles » parce que tu n'as *aucune limite*, alors tout le monde te balade dans tous les sens jusqu'à ce que tu exploses ou que tu fuies.

J'ouvre la bouche mais rien n'en sort.

— C'est ta vie à toi, Faith, insiste Scarlett en me fourrant le petit robot dans la main. Et donc c'est toi qui décides des règles.

Dans ma poche, mon téléphone s'est remis à sonner, je le sors machinalement. J'ai la tête qui va exploser.

— Faith ? prononce Persephone d'une voix sèche. Où es-tu ?

— Chez une copine, je chuchote.

— L'adresse, s'il te plaît. Nous t'envoyons une voiture. Tu dois rentrer immédiatement.

46

Tu as le droit de réclamer ce que tu veux.

— … aurais pu faire beaucoup de dégâts. Écoute, Faith, mieux vaut me consulter avant de…

Tu as le droit de dire stop et non.

— … impact énorme sur la profession et le public. Tout le monde se rallie derrière…

Ça s'appelle avoir des limites.

— … tour inattendu à ta marque. Tu n'es plus cette beauté générique…

Toi, tu n'arrêtes pas de « péter des câbles » parce que tu n'as aucune limite.

— … en termes d'image, tu as pris un virage à cent quatre-vingts degrés…

Alors tout le monde te balade dans tous les sens.

— … propositions affluent, tu n'as que l'embarras du…

Jusqu'à ce que tu exploses ou que tu fuies.

— … le monde est ton huître…

— Tu sais d'où vient l'expression ? j'interromps Persephone.

Puis je la mets sur haut-parleur et cale mon appareil sur mes genoux. Le regard dans le vide, la tête tournée vers la vitre du taxi, l'obscurité dehors.

— Elle vient des *Joyeuses commères de Windsor*, une pièce de Shakespeare. Je l'ai vue six fois à l'époque où Maman interprétait Falstaff dans une production 100 % féminine.

Premières paroles que je prononce depuis le début du trajet.

— Tout à fait ! me renvoie Persephone avec un enthousiasme pas du tout naturel. C'est vrai, en plus ! C'est...

— Et tu sais ce qu'elle signifie ? Ça veut dire qu'on doit lutter pour ouvrir la vie avec un couteau, même si on n'a qu'une chance infime d'y trouver une perle.

— Fascinant...

— Sauf qu'on sert *Le monde est ton huître* à toutes les sauces, comme pour dire qu'on peut avoir tout ce qu'on veut quand on veut. Et ce n'est pas vrai.

— C'est très...

Le taxi s'arrête devant le portail du manoir Valentine.

— Désolée mais il faut que j'y aille, je conclus avant de raccrocher.

Il y a plus de paparazzis que j'en ai vus de toute ma vie. Des dizaines et des dizaines agglutinés les uns contre les autres dans le noir. Sitôt qu'ils aperçoivent le taxi, ils se mettent à crier, faire des grands gestes, prendre des photos.

Flash flash flash flash.

Je déglutis avec difficulté.

— Mademoiselle Valentine ? m'interpelle le chauffeur dans le rétro intérieur. Souhaitez-vous que je vous conduise ailleurs ? (Flash flash flash.) N'importe où…

Les mains tremblantes, je lisse ma robe.

— Ça ira, merci. Je vais gérer.

Je sors une main par la vitre pour taper le code d'entrée. Un déclic et le portail s'ouvre.

Le taxi remonte l'allée, flanqué de tous les paparazzis qui s'engouffrent après nous. Ça gueule, ça tape sur les portières, ça se précipite sur le perron de ma maison.

On s'arrête, j'inspire à fond lentement. Puis j'ouvre la portière et descends, le petit robot jaune au creux de mon poing.

C'est toi qui dictes les règles.

— FAITH ! FAITH ! LE S.P.A. MENACE D'INTENTER UN PROCÈS. QUELLE EST TA RÉACTION ?

— AS-TU PARLÉ À LADY SYLVIA ?

— ÉTAIT-CE UN GESTE POLITIQUE ? TU LE PRÉVOYAIS DEPUIS QUAND ?

— DYLAN HARRIS T'A-T-IL SOUTENUE ?

À pas lents, pieds nus dans ma robe de soirée crade, je me fraie un passage à travers la meute jusqu'à parvenir en haut des marches. Là, je me retourne.

— OU, me lance aimablement l'un d'eux, EST-CE QUE TU ES EN DÉPRESSION COMPLÈTE COMME TA MÈRE ?

Silence. Le temps que je cherche mes mots. Car cette fois, il n'y a ni script, ni réponses validées. Cette fois, personne ne va me faire taire ou m'interrompre, personne ne va parler pour moi et je ne me tairai plus.

Ma voix m'appartient. À moi de m'en servir.

— Bonjour, j'articule. Je suis Faith Valentine. (Flash flash flash flash.) Je me présente parce que nous ne nous sommes jamais rencontrés. Pourtant, vous êtes ici, devant chez moi.

Je promène mon regard sur ces visages inconnus.

— Vous avez sans doute connu des peines de cœur, je poursuis lentement. Les pleurs, les rires, la peur, le bonheur... on connaît tous. On a tous dit un jour ce qu'il ne fallait pas, porté les mauvais habits, choisi le mauvais partenaire.

J'inspecte toujours l'assemblée.

Je m'arrête un court instant sur le blogueur de Richmond Park, debout dans le fond, son portable brandi. Il me fait un coucou de malade, je lui réponds par un tout petit sourire.

— Mais qui parmi vous a déjà vu ses expériences les plus douloureuses, les plus chères ou les plus humiliantes être livrées à des inconnus pour les divertir ?

Silence.

Le blogueur baisse les yeux.

Je me redresse de toute ma hauteur.

— Chaque jour pendant près d'un an, j'ai été pourchassée, jugée, critiquée, interrogée et exposée. Vous avez commenté mes formes, noté mon visage.

Vous vous êtes moqués de ma personnalité et de ma vie amoureuse. Vous m'avez traitée de tous les noms et photographiée sans ma permission. Vous m'avez mise sur un piédestal et vous m'en avez fait tomber.

Une poignée de journalistes parmi les plus âgés ont l'air gênés. Je remarque que le blogueur du parc range son téléphone.

— J'ai *seize* ans, et vous me traitez comme une poupée pour laquelle vous vous chamaillez jusqu'à ce qu'elle casse. Ensuite, vous me jetterez pour passer à une autre fille, toute nouvelle toute belle.

Je pense à ma mère, couchée dans sa chambre aux rideaux tirés. Ni nouvelle. Ni belle.

— Mais…, intervient un journaliste en brandissant son Dictaphone. Enfin, Faith, tu es née dans une famille célèbre, privilégiée, cela s'accompagne forcément de…

— D'un prix ? je termine pour lui en levant les sourcils. Pour une existence que je n'ai ni choisie ni demandée ? Vous décidez qui je suis avant moi.

Je sais que j'ai une chance folle d'être née dans cette famille. Mais le monde *n'est pas* mon huître.

Et là, c'est moi qui me fais ouvrir de force ; moi à qui on arrache sa perle pour la vendre sans ma permission, encore et encore. Regardez ce qu'on a trouvé ! Est-ce que ça nous plaît ? Combien on peut en tirer ? Est-ce que ça valait le coup ? On continue à chercher ? Hé, regardez !

L'huître a peut-être envie de rester fermée. Elle préfère peut-être garder son trésor caché pour elle-même, et que le reste du monde *lui fiche la paix.*

— Rien de tout ceci n'est réel, j'indique en me désignant du doigt. Pas plus que mes posts sur les réseaux sociaux. Ou mes citations. Ou mes interviews. Ou les vêtements que je porte, les gens que je fréquente, les lieux où je me rends. Vous n'avez aucune idée de qui est Faith Valentine.

La porte s'ouvre derrière moi, une grande main apparaît.

Vite, vite, vite...

— Alors je vous demande, s'il vous plaît, d'...

Et on m'aspire fissa dans la maison.

— **A**RRÊTER.

— Bien, fait Max en me transportant au salon où il me largue dans un fauteuil. Fini de jouer, mademoiselle Sornette de la Foutaise. Ne me force pas à appeler les chiens imaginaires.

Livide, je lui shoote dedans et le mords.

— Aïe ! hurle mon frère en s'asseyant sur moi. Eff, tu m'as mordu ? C'est nouveau ça. Je suis à la fois impressionné et potentiellement infecté.

— Lâche-moi. (Je reçois un coup de poing.) Qu'est-ce qui te prend ?

— C'est une interaction, explique Hope sur un ton solennel, perchée devant moi, les yeux écarquillés. On vient t'interacter, Faith Valentine.

— Une intervention, corrige Max en se relevant.

— Pareil, acquiesce ma cadette. Le truc, c'est qu'on t'apporte le *vent* de la raison, Eff. Et comme le vent souffle dans tous les sens, après tu peux nous envoyer du vent aussi.

Je scrute mon frère et ma sœur, abasourdie, puis me tourne vers Mercy. Muette près de la cheminée, elle tripote une bougie.

Je renifle de frustration. Pourquoi *maintenant* ?

— Vous me faites un sketch. J'ai pas besoin d'u…

— Oh que si, me coupe Mercy, les yeux rivés sur mes pieds crades. Où sont passées tes chaussures ? Et tes cheveux ? Ça ne te ressemble pas, Faith. Péter les miroirs ? Te fighter sur Twitter ? Faire la morale aux médias sur le perron ? Frapper, crier, mordre ? Ce n'est pas toi.

— On sait tous que tu as le cœur brisé, enchaîne Hope en me tapotant les genoux. Je n'imagine même pas ce que ça doit faire d'avoir perdu Noah, ton âme sœur, la personne en qui tu avais le plus confiance au…

J'ouvre la bouche, Mercy souffle fort.

— Arrête, sérieux ! s'emporte Hope en se tournant vers notre aînée. Arrête, Mer' ! C'est pas parce que ton cœur à toi il est tout flétri, vide et noir que les autres ont pas le droit de souffrir !

Mercy tique et baisse les yeux.

— Ça n'a rien à voir avec…, je commence.

— Elle a raison, me coupe Max, le front plissé. Tu n'es plus toi-même depuis ce baiser, Eff'. Tu nous manques. On voudrait juste retrouver la douce Faith qu'on connaît et qu'on aime.

— Je…

— On est là pour toi, enchaîne Hope en me prenant la main. Dis-nous ce qu'il faut faire pour te rendre le bonheur et on le fera. Dis-nous juste *comment te réparer.*

Elle me presse les doigts, tous trois me scrutent.

Silence.

— Je peux parler, maintenant ? je demande en me levant.

Ils ouvrent tous les trois la bouche.

— Ah. Non, on dirait. Visiblement vous n'aviez pas fini. Continuez, je vous en prie. L'un de vous veut-il se rasseoir sur moi ou bien vous préférez le faire verbalement ?

Ça ne moufte plus.

Mon cœur s'emballe. Je m'essouffle, comme après une super longue course. C'est peut-être ça : il y a trop longtemps que je cours.

— Vous ne comprenez pas, hein ? je leur lance. J'en ai ma claque d'être celle que vous voulez que je sois. Des fois, j'ai l'impression d'exister uniquement pour contrebalancer vos personnalités. Comme si vous aviez pris tous les bons rôles et que moi j'étais un personnage secondaire, terne, votre faire-valoir.

Leurs yeux s'arrondissent.

— Vous croyez vraiment que j'ai envie d'être La Beauté De La Famille ? La Comme-Il-Faut ? La Gentille ? Est-ce que vous imaginez seulement combien c'est *chiant* ? À quel point j'ai l'impression d'*étouffer* ?

Mon frère ouvre la bouche.

— Non, Max. je t'ai écouté, maintenant toi tu m'écoutes. Tu as le droit de faire ce que tu veux, d'aller où ça te chante, d'être comme tu veux. Tu es l'aîné mais tu refuses les prestigieux costumes de comédien des Valentines. Trop de travail, trop dur ? OK. T'inquiète pas pour ça, cette bonne vieille Faith va s'en charger, comme d'hab'.

Max rosit, une première. Je me tourne vers Hope. Mon ventre se noue de culpabilité.

— Ma puce. Désolée mais je suis loin d'être parfaite. Tout ce que je fais n'est pas *bien*. Tout ce que je pense n'est pas *bien*. Je commets des erreurs comme tous les ados normaux et déglingués. Mais je n'ose pas évoluer de peur de te trahir.

Hope bat des cils puis s'assoit dans le fauteuil que je viens de quitter.

— Purée, souffle-t-elle d'une voix minuscule.

Je m'adresse à Mercy. Elle est livide mais je ne peux pas, je ne *veux* pas, m'arrêter.

— Et toi, Mer'. Tu as le droit d'être *toi* parce que moi j'ai l'obligation d'être *moi*. Tu as le droit d'être brusque et méchante parce que *moi* je suis douce et gentille. Tu as le droit d'être le cygne noir parce que *moi* je suis le cygne blanc.

Je me sens fébrile.

— Sauf que je n'ai pas *choisi* ce rôle et que je n'en ai jamais voulu. Je refuse de faire la belle sous les projecteurs, de vivre dans la crainte de m'étaler sous les regards du monde entier.

Mon cœur bat à deux mille à l'heure, ma voix chevrote.

— Alors je ne suis peut-être pas *moi-même* en ce moment. Je ne suis peut-être pas la Faith Valentine que vous *connaissez* et que vous *aimez*. J'avais peut-être envie de découvrir qui je serais si je *n'étais pas cette fille*.

— Faith…

— S'il vous plaît ! Je vais vous demander à tous de *me laisser respirer*.

Les joues en feu, je fonce prendre mon passeport dans le coffre-fort du palier et le fourre dans mon sac à main. Puis direction la porte de derrière.

Qui s'ouvre avant que je saisisse la poignée.

— Effie !

— Noah ?

— Je suis trop content de te trouver là, Eff ! Les médias sont en délire à l'entrée, je t'ai appelée un million de fois mais tu refuses de me parler alors je me suis dit autant…

— Non.

Je passe à côté de lui pour sortir. Il me suit.

— Hmm. *Non*… quoi, au juste ? Je sais que j'aurais dû venir te voir plus tôt mais je suis en tournée, Eff, et je t'ai *textotée* à mort. Toi-même tu ne t'es pas ennuyée – j'ai lu les journaux – à essayer de me rendre jaloux avec ce Dylan, là, et…

— Non.

Je marche toujours.

— Je ne comprends pas. Qu'est-ce que tu racontes ?

Noah presse le pas, se cale devant moi, me bloque le passage et, dans une grande bouffée de tristesse, je vois tout à coup défiler l'année entière qu'on a passée ensemble.

Toutes les fois où je suis allée là où il m'a dit d'aller, où j'ai porté ce qu'il m'a demandé de porter, où je suis devenue celle qu'il voulait que je sois. Toutes les fois où j'ai acquiescé, souri et balancé de la fossette au bon moment.

Toutes les fois où il n'a pas été à mon écoute, ne s'est même pas soucié de moi. Toutes les fois où j'ai voulu lui dire ou lui montrer ce dont j'avais besoin et où il m'a ignorée, toutes les fois où on a fait passer ce qu'il voulait avant ce que moi je voulais.

Toutes les fois où j'ai dit *oui*, *OK* ou *d'accord* alors que je pensais…

— Non.

— Mais… (Il me cavale encore après.) Je t'*aime*, Eff, tu es…

— Tu ne m'aimes pas, je lui dis tout simplement. Désolée, mais tu aimes Faith Valentine, et ce n'est pas la même chose.

Mon chéri d'un an est perdu. Même là, il ne voit pas la différence. Il me tire désespérément par la manche.

— Mais… C'est *encore* à cause de ce stupide baiser, Eff ? Parce que je te le répète pour la millionième fois, ça ne voulait rien dire. Pardonne-moi, allez, et je sais qu'on pourra reprendre notre histoire pile où elle en était.

Je le fixe. Il ne capte pas.

Je ne veux pas d'un amour vieux tacot. Je ne veux pas d'une relation dans laquelle j'ai l'impression de *disparaître.* Je veux être avec quelqu'un qui me laissera dire *non,* et Noah n'est pas cette personne. Parce que lui il était heureux quand moi je ne l'étais pas.

Je le dégage.

— Non, je prononce pour la dernière fois en m'enfonçant dans les buissons. Je m'excuse, Noah. Mais c'est vraiment fini.

48

Mon agent décroche au quart de tour.

Par le trou de la clôture au fond du jardin – ce trou secret par lequel les Valentines s'échappent depuis près d'un siècle –, j'aperçois le toit de ma maison, en partie visible au-dessus des arbres.

C'est ma *vie et c'est* moi *qui dicte les règles.*

— Salut, Persephone. Tu étais sérieuse quand tu disais que je pouvais choisir n'importe quel rôle ?

La prochaine étape, c'est moi qui décide.

Et je sais exactement qui je veux être.

LE GRAND RETOURNEMENT

Après des semaines de spéculation, Faith Valentine est officiellement reconfirmée comme premier rôle dans *Deux semaines d'horreur*. La Beauté Glaciale, qui s'était retirée des tournages pour raisons personnelles (lire Top Ten de la Honte), a reconnu publiquement avoir « commis des erreurs ».

« Nous sommes ravis de retrouver Faith Valentine, a déclaré un porte-parole. Elle a toujours été notre premier choix. »

Scarlett Bell – l'actrice inconnue qui a été évincée de la série – serait « totalement sous le choc » suite à ce changement de dernière minute.

Les journaux ont *enfin* compris.

Scarlett est en effet sous le choc depuis quarante-huit heures, dès l'instant où je me suis pointée chez elle. Elle tourne en rond, incrédule, comme une gerbille qui se serait cogné la tête trop fort.

— Je… C'est pas… Je ne voulais pas que tu… ça ne… J'hallucine que tu…

Je me marre et reprends des lasagnes froides.

Voilà deux jours que j'ai plaqué les Valentines. Finis les lits à deux places, les couettes en soie, les réveils avec des chants d'oiseaux, les séances de yoga, les suites en marbre. Le canapé-lit nu me gratte, et une fois il s'est même replié sur moi, façon burrito. La serviette que j'utilise sent la chaussette sale ; l'oreiller est plein de bosses.

À 3 heures du mat', les voisins du dessus se mettent à gueuler.

À 5 heures et à 6 h 10, un bébé prend la relève.

Pourtant, malgré ce chaos, j'ai toujours le sentiment d'avoir pris la bonne décision.

— Scarlett, je m'esclaffe en me gavant de lasagnes. Pose-toi deux secondes. Une fille sage connaît ses limites ; une fille intelligente sait qu'elle n'en a pas.

Ma copine plisse ses yeux verts brillants.

— L'imperfection, c'est la beauté, je poursuis, la bouche pleine. La folie, c'est le génie, et il vaut mieux être totalement ridicule que totalement ennuyeux.

Elle pose ses mains sur ses hanches. Je lui tends les bras et fais bouger mes sourcils.

— Nous sommes *tous* des étoiles. Et nous méritons tous de *scint*...

Un coussin me percute en pleine tête.

— Lâche-moi avec Marilyn, se marre Scarlett en me menaçant avec un emballage de bouffe chinoise. Je te suis reconnaissante, Eff', mais pas à ce point. Qui ne rêve pas de passer six mois sur un champ de lave gelé en Islande ?

Une main se plaque sur sa bouche, elle se remet à faire les cent pas. Elle se fige.

— Nom de... Tu vas passer une demi-année sur un champ de lave islandais à cause de moi, Eff'. Moi je vais m'éclater aux States et toi tu... Je n'en reviens pas que je... Tu...

Elle disparaît soudain du salon puis revient les bras chargés d'affaires.

— Scarlett, je lui dis. Pas la peine de...

— Je *sais*, me coupe-t-elle en me balançant tout. Manteau doublé. Après-skis. Gilets en Thermolactyl. Pulls. Gants. Écharpes. Lunettes de soleil. Prends tout. S'il te plaît. Il va faire froid là-bas. Et tu vas te sentir seule. Tout sera désert, sombre, terne, gelé et...

Dans un mugissement de détresse, Scarlett saute sur le lit et m'enserre de ses bras mouchetés de taches de rousseur.

— *Merci*, chuchote-t-elle.

— Écoute, tu n'es peut-être pas au courant, je réplique en tapotant ses cheveux blonds décolorés, mais je suis très, très riche et très, très célèbre. Je n'ai pas besoin de toi pour me fournir une garde-robe.

Et surtout pas avec des fringues... (Coup d'œil à une étiquette.)... au rabais.

— En soldes, précise-t-elle sans rire. Prends aussi la valise.

— Et puis... c'est pile ce que je veux. J'y ai bien réfléchi et je pense que tu sous-estimes mon désir de quitter l'Angleterre. De déplacer un peu mon cercle. Froid, glace, désert, terne ? Je suis la *Beauté Glaciale*, Letty. Ma couleur préférée est le gris. L'Islande est faite pour moi.

Elle m'offre un large sourire.

— Pas faux, admet-elle. C'est ton foyer spirituel, ô déesse sublime et inhospitalière.

Sur ce, elle sort une énorme liasse de papiers de sous le lit et me la lance.

— Tiens. Ça aussi, c'est cadeau.

Mon ventre se noue direct : *le script*.

Le seul truc auquel je m'efforçais de ne pas penser. Je suis contente de partir de chez moi, de quitter le pays, de m'installer au milieu de nulle part. Mais une fois sur place, il me faudra quand même... enfin, vous savez.

Jouer.

— Cool ! J'ai hâte.

— OK, l'enthousiasme en toc, avec moi tu oublies, soupire Scarlett. Réserve plutôt ton talent pour le boulot que tu m'as chouré, steuplé.

— Paaardon ? *Chouré* ?

— Généreusement emprunté... Pitié, ne me le rends pas. (Elle ricane et ouvre le script.) Tu pars dans deux jours, on ferait mieux de s'y mettre tout de suite.

Les quarante-huit heures suivantes, on étudie.

On campe sur le canap' en se nourrissant de pizza et on se donne à fond. Scarlett surligne mes scènes au Stabilo, me fait répéter mes répliques jusqu'à ce que je les connaisse, jusqu'à ce que je les comprenne, jusqu'à ce que je mémorise toutes les réactions. Elle note des trucs dans la marge : *ici ne pleure pas* ; *intériorise la douleur* ; *brève alarme* ; *comment montre-t-elle sa peur ?*

Et peu à peu, mon nouveau personnage prend forme, jusqu'à ce que Frankie me donne l'impression d'être... quasi réelle. Honnêtement, ma copine m'en apprend davantage sur la comédie en deux jours que ma grand-mère en douze mois.

Pointe de culpabilité. *Grand-mère.*

J'ai éteint mon portable en sortant de chez moi et ne l'ai pas rallumé depuis. Je me suis servie de celui de Scarlett pour rappeler Persephone et organiser le voyage. Mais le visage de Grand-mère à la vente aux enchères reste gravé dans ma mémoire. Pâleur de spectre, tout en déception.

Et Maman ?

Pas le temps de penser à elle. Au tour de mon frère et de mes sœurs de faire leur part. Moi, je... je ne peux pas, là.

— Bon, fait Scarlett en traînant ma valise minable jusqu'à l'ascenseur. Je crois qu'on y est. La prochaine fois que je vais te voir, tu seras à l'aéroport de Reykjavik, à me demander pourquoi je t'appelle en visio alors que tu n'es partie que depuis quelques heures, et me dire de me sortir les doigts d…

La voiture envoyée par le studio patiente dehors. Je me marre et monte dans l'ascenseur. Demain, Scarlett s'envole pour l'Amérique, et moi je ne suis qu'une masse floue de bonheur et de gratitude aigre-douce. À sa façon, elle m'a fait voir qui j'étais réellement sans avoir à m'ouvrir en deux. Elle m'a permis de m'ouvrir lentement, à mon rythme, et ç'a changé… absolument tout.

Dans un élan d'amour, je lui saute au cou et la serre fort.

— Waouh, sourit-elle en retenant la porte de l'ascenseur qui nous menace. Que me vaut donc cette marque d'affection si insolite ? Fais gaffe, Eff', tu pourrais perdre ta réputation de glaçon.

Je ris, m'essuie les yeux.

— Éclate-toi bien en Amérique.

— Éclate-toi bien en Islande.

— Hé. (Je me recule et bats des cils.) T'avais pas dit que l'ascenseur était pété ?

Scarlett affiche son grand sourire tandis que les portes se referment entre nous.

— Je blaguais, Valentine. C'était que de la blague.

50

**GRANDE ANNONCE
EN DIRECT DE LA T-ZONE.**

Après mûre réflexion, j'ai décidé de fermer ce blog.
Merci de m'avoir suivi – rdv à la récré devant
le bâtiment de chimie, Kevin.
Amour et dragons. Tim x
PS C'est QUOI en vrai une T-zone, qqn a une idée ?

Silence.

Je m'avance dans le froid.

À mon arrivée en Islande, il fait nuit. L'air est vif
et pur, et bizarrement il dégage une odeur lumineuse
malgré l'obscurité. Les derniers passagers traversent en
silence l'aéroport de Reykjavik, franchissent les portes

en verre et sortent sur le parking. Pas un journaliste, pas un appareil photo, pas une question. Je me hasarde à retirer mes lunettes de soleil.

Le ciel me paraît plus éloigné, et comme bordé d'un liseré orange provenant de la ville. Un petit soupir, je ferme les yeux et penche la tête en arrière. Un air délicieux m'emplit les narines et le fond de la gorge d'une fraîcheur et d'une pureté telles qu'on dirait de l'eau.

J'inspire encore.

Et encore.

Et encore.

— Mademoiselle Valentine ?

Une blonde vêtue d'une parka verte bouffante se tient devant moi, sa capuche fourrée enserre ses yeux turquoise. Elle porte autour du cou un cordon aux couleurs de la production et dans les mains une pancarte marquée SCARLETT BELL – DEUX SEMAINES D'HORREUR.

Je souris, inspire encore une fois à fond. Il se cachait où, tout cet air, avant ?

— Je suis Berglind. (Voix douce, accent prononcé.) Je vais vous aider à installer en Islande. Mais vous venez avec moi maintenant.

Sans un mot de plus, elle prend ma valise et la fait rouler en direction d'une Jeep noire.

Un court instant, je refuse de bouger. Je veux juste rester là, respirer, ressentir le vide, le silence et le froid qui vont et viennent en moi.

Puis je me mords la lèvre, sors mon téléphone, l'allume et attends les SMS, les mails, les appels manqués, les notifications, les titres, les « ding ding ding ding ding ».

PAS DE RÉSEAU

Un sourire, et j'avale une nouvelle goulée d'air glacé. Avant de rééteindre mon téléphone.

On roule pendant des heures.

Les lumières de Reykjavik derrière nous, on s'enfonce dans la nuit : une longue route noire uniquement zébrée de nos phares jaunes. Berglind ne dit rien, alors je mate par la vitre, cherche à me repérer. À chaque instant, la nuit se fait plus noire, la campagne plus déserte, la route plus solitaire. Et enfin, on s'engage sur un chemin de gravier.

Les pneus crissent et rebondissent dans le vide jusqu'à ce que nous atteignions deux petites cabanes en bois : carrées, peintes en noir, à peine visibles.

— Nous restons ici une nuit, annonce Berglind.

Elle me remet une clé et une lampe torche, montre le second chalet, m'adresse un signe et bonne nuit : fin de l'assistance. J'avale ma salive. Ce n'est pas pour rien que les films d'horreur islandais forment un genre à part. Bref, je m'avance dans le noir total, ouvre la porte de ma cabane et allume la lumière.

Planches de contreplaqué clouées aux murs, ampoule nue suspendue au plafond, une chaise grise, une tasse blanche, un lit à une place, un oreiller. Un des murs est une grande porte vitrée coulissante avec vue sur un lac. Des eaux argentées bordées d'arbres maigres, le tout découpé par le clair de lune.

Je lâche ma valise. J'ai échangé tout l'or, le velours, le marbre et la soie des Valentines contre une ampoule nue suspendue devant un lac gris pâle.

J'ouvre la porte vitrée et me dirige vers l'eau.

Je ne vois ni n'entends la moindre créature vivante. Les arbustes eux-mêmes semblent morts. La solitude est un désert balayé par le vent.

Arrivée sur la berge, je contemple le ciel. Si noir qu'il en est presque bleu. Il s'éloigne du sol comme un couvercle qu'on soulèverait. Une masse d'étoiles blanches s'y éparpillent, le vent est frais, le silence douloureux et je me sens...

Propre. Calme. *Libre*.

Alors, peu à peu, je retrouve ces sensations – celles de me détendre, de larguer les amarres.

Je lève le menton dans une bouffée de bonheur.

— UN MAÎTRE ZEN REÇOIT UN PAQUET CADEAU, je crie dans la nuit en tournant sur moi-même. IL L'OUVRE ET DÉCOUVRE QUE CELUI-CI EST VIDE. « HA ! HA ! DIT-IL. EXAC-TEMENT CE QUE JE VOULAIS. »

Au-dessus du lac, une bande vert pâle danse dans le ciel.

Ha.

Je savais qu'elle était bonne, celle-là.

Puis, hilare, je pars retrouver la solitude.

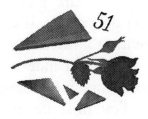

51

Comment savoir où le soleil se lève ?

Regarde où il a laissé ses pantoufles.

— Faith ? m'appelle Berglind en toquant discrètement à ma porte. Es-tu vêtue ? C'est une longue route
et l'orage, il approche.

J'enfile rapidos deux leggings, un sweat en polaire
et les après-skis de Scarlett. Puis je referme la valise et
attrape mon sac.

Le temps qu'on charge nos bagages dans la
Jeep, le ciel a viré au gris anthracite et s'est couvert.
On reprend notre piste cahoteuse puis on accélère une
fois rendus sur la route noire.

Le paysage désert se modifie de kilomètre en kilomètre : plat puis vallonné, parsemé de collines puis de
montagnes. Des volcans dressent leurs cheminées dans

les nuages, le sommet nappé d'une neige étincelante. Ici les eaux sont turquoise fluo, elles s'écoulent près de la route dans une herbe vert pâle, s'accumulent pour former rivières et lacs, dégoulinent des rochers.

À mesure que la voiture prend de la vitesse, je regarde l'évolution du paysage. Il se dresse et s'aplatit brusquement, comme s'il haletait.

La lave séchée a créé des bandes noires et plates. Sur notre droite apparaît une mer déchaînée. Le ciel s'assombrit encore, et l'eau brillante fait grossir des rigoles jusqu'à ce qu'une cascade énorme rugisse et frappe les rochers avec une telle brutalité qu'on croirait qu'elle veut tout détruire sur son passage.

Ça me fait un choc dans la poitrine. Cette beauté n'a rien de passif. Rien de *mignon*. Ça bout, c'est vivant. Dangereux. Puissant. L'Islande est un pays qui ne se laisse pas faire.

— Je crois que peut-être ils nous voient, indique Berglind comme si elle lisait dans mes pensées. Les *huldulfólk*.

Je me tourne vers elle.

— Pardon, qui ça ?

— Le peuple caché. Les elfes. Les lutins. Les fées. Ils sont super curieux avec les étrangers. Ces rochers… (Elle en montre deux énormes, reliés par leur sommet.) C'est des trolls qui s'embrassent, transformés en pierre par le soleil. (Berglind baisse la voix avec un sourire complice.) Les trolls ne nous aiment pas. Ils sont très forts mais heureusement pas très intelligents.

Je fixe les rochers jusqu'à ce qu'on les ait dépassés.

— Les Islandais croient beaucoup à la magie ? j'interroge ensuite ma guide.

— *Já*, répond-elle. La plupart, je dirais. À quoi on peut croire sinon ?

N'importe où ailleurs qu'ici et maintenant, j'aurais peut-être cru à une blague que je n'aurais pas comprise. Et j'aurais émis un rire poli. Sauf que si la magie existe quelque part, c'est ici.

Les nuages d'orage s'accumulent et Berglind, les yeux plissés, écrase un peu plus le champignon.

Les premières gouttes tachent ma vitre. Le vent se met à hurler.

— C'est parti, dit calmement Berglind.

Cinq secondes plus tard, c'est le déluge, on ne distingue presque plus la route. La voiture fait une embardée, comme tirée par une main invisible. Il fait si noir qu'on est obligées de rallumer les phares, alors qu'il n'est même pas midi. Des éclairs strient le ciel ; l'air mugit.

J'épie ma conductrice.

Bon, j'ai souvent ressenti de la peur. Peur de monter sur scène, de parler aux inconnus, de la caméra, de dire ce qu'il ne faut pas. Mais là je commence à comprendre que j'exagérais. Parce que ce que je vis maintenant, ça oui c'est de la peur.

J'inspire à fond et serre les poings. J'expire lentement.

— On... On ne risque rien. Hein ?

— Au contraire, réplique Berglind dans une nouvelle embardée. Les gens meurent tout le temps en Islande. Les orages sont très, très dangereux.

Pas vraiment la réponse que j'espérais, mais bon.

— Alors on devrait peut-être… s'arrêter ?

— Pourquoi ? Je viens d'un village par là-bas. On vit au pied d'un volcan actif. Il devait se réveiller il y a quatre-vingts ans. On sera prévenus dix minutes avant. Peut-être quinze.

J'ouvre des yeux comme des soucoupes. Et je sais que c'est une question débile mais je la pose quand même :

— Qu'est-ce qui va se passer, quand ça arrivera ?

Berglind hausse les épaules.

— Le feu. La lave. Les cendres. Le village détruit. Pouf ! La famille vaporisée.

Oh.

Le ciel s'ouvre encore en deux ; la voiture vibre.

Mes mains se crispent.

— Et du coup… vous faites quoi ?

— On vit chaque instant en sachant que c'est peut-être le dernier. Ou peut-être on est embauchés dans le cinéma.

Et elle éclate de rire.

L'orage cesse aussi brusquement qu'il a commencé. Le changement affecte tout le paysage tandis que le ciel redevient bleu saphir.

Et enfin, peu après midi, Berglind s'engage dans un parking bondé. Mon ventre se noue. Des dizaines de gens en grosse doudoune et bonnet installent des caméras sur des trépieds, des projecteurs, des réflecteurs, des chariots chargés de matériel, des tonnes de câbles, une espèce de cochon d'Inde en peluche gris au bout d'une perche noire.

Meisner, Tchekhov, Stanislavski, Hagen, où êtes-vous ?

Pourquoi n'ai-je jamais appris les noms de tous ces trucs ?

Ils font quoi, ces gens ?

— Faith !

Christian Ellis s'extrait de la foule, toujours vêtu de noir, façon réal.

— Bonjour, monsieur Ellis. Je vous remercie de m'avoir reprise. C'est vraiment très…

— Viens là. (Sans me demander la permission, il me serre dans ses bras.) Commençons par évacuer ce qui gêne. As-tu déchiré la première audition ? Non. As-tu déchiré la seconde ? Du tout. En aurais-tu déchiré une si on t'en avait proposé d'autres ? *Fort* improbable.

Il se dégage avec un petit sourire.

— Mais bon, presse gratuite en contrepartie, mettons qu'on est quittes, OK ? Ravi que tu sois là. S'IL VOUS PLAÎT ! Faith Valentine, notre nouvelle star ! *Pas* Scarlett Bell, comme indiqué, dit-il ensuite en adressant des signes à l'équipe.

Tout le monde se tourne vers nous, fait coucou, puis se remet au boulot.

Je me détends. Ici, personne ne me demande d'être Faith Valentine. Au contraire, ils veulent que je sois quelqu'un d'autre.

— La lumière est encore bonne, indique Christian à une jolie brunette. Et si on maquillait Frankie fissa ?

Je sors le script de mon sac.

Grâce aux répètes avec Scarlett, je connais quasiment toutes mes répliques. Je crois même pouvoir gérer tout ce qu'on me demandera. Ou presque.

— Et donc, je prononce de ma voix la plus assurée, on commence par où ? Le speech de la cascade, la crise dans la hutte ou peut-être la...

Le réalisateur se marre.

— Aujourd'hui, tu vas sauter d'une voiture en marche.

52

Mouais, ça, ça ne figure pas dans le script qu'on m'a donné. Je pense que je m'en souviendrais.

— Pardon ?

— On a effectué deux trois retouches, m'explique Christian tandis que la maquilleuse me conduit à la plus grosse caravane. On a viré quelques répliques et ajouté pas mal d'action. Tu es la Beauté Glaciale sportive, autant en profiter !

Il plaisante, hein ? Oui, il plaisante.

Je n'ai pas passé mes deux dernières journées avec Scarlett à apprendre mes répliques pour qu'on me les sabre à la dernière minute.

On la refait ?

Scotchée, je regarde le réalisateur. Il tape des mains.

— Voilà ! Pile l'expression que je recherche ! Froide, sans émotion, rigide. J'adore ! Et maintenant... va te faire ensanglanter, mon esquimau glacé.

Ils n'auraient pas pu me prévenir ?

— Hmm, je souffle tandis que mon sang bout.

Puis, les yeux plissés, je monte dans la caravane, tête haute, le dos droit et glacé. C'est un boulot que j'ai choisi, je joue un rôle.

Ils veulent de la sportive musclée ? Parfait.

Ils veulent que je saute d'un véhicule en marche ? Pas de souci.

Ils me prennent pour une diva frigide et distante ? Je vais leur en donner.

Je suis Faith Valentine, je suis actrice et je peux être qui ils veulent.

La maquilleuse remplace mes deux leggings par un jean déchiré et boueux, et mes baskets par une paire quasi identique. Puis elle me vaporise un truc à la glycérine sur la figure pour simuler la transpiration. Avec un talent fou, elle me fixe une prothèse sur l'oreille : on dirait qu'on me l'a grignotée.

Puis, un sourire aux lèvres, elle sort une bouteille de liquide rouge.

— C'est le meilleur, annonce-t-elle. Ferme les yeux.

J'obéis. Elle me badigeonne de rouge les habits, le cou, la figure, l'oreille et le front.

— OK. C'est bon.

Coup d'œil au miroir. Je suis en sang : couverte d'une mélasse rouge. Pire que le premier soir chez Scarlett. Je n'ai jamais autant ressemblé à un hot-dog. Mes narines tressautent.

— Cool. Merci.

Puis j'inspire à fond, je ressors de la caravane et je me dirige calmement vers mon réal et son équipe. La mine 100 % rigide.

— Rebonjour, je leur fais d'une voix neutre. Montrez-moi le véhicule dont vous souhaitez que je saute, s'il vous plaît.

Christian se fige.

— Tu es sérieuse ?

— Et comment.

— La voiture fera du cent dix.

— Oui.

— Tu veux sauter d'une voiture en marche, à cent dix kilomètres-heure, sur une route goudronnée, sans le moindre entraînement ?

— Oui.

Il cligne des yeux puis éclate de rire.

— C'est bien toi, ça. Une vraie dure, comme ta grand-mère. Je te faisais marcher, Faith. Non, au prix que tu coûtes, on ne peut pas se permettre de te tuer dès le premier jour. Je te présente ta doublure, la très talentueuse Dominique Weston.

Déboussolée, je me retourne. Une fille se tient derrière moi : grande, peau marron, musclée. D'immenses yeux noisette, un petit nez, des lèvres charnues. On porte la même tenue, son oreille gauche est grignotée comme la mienne, et elle a les mêmes taches de sang que moi.

Aussi, elle a le crâne rasé.

— Salut, dit-elle en me tendant la main. Appelle-moi Westie. Et pas de panique. J'ai été dédommagée pour la coupe de cheveux. Remarque, j'aime bien. Toi aussi, les gens n'arrêtent pas de vouloir te toucher le crâne ?

Je me marre mais me rappelle très vite que je suis censée n'avoir aucun humour.

— Non.

— Ah. Moi, mon crâne n'a jamais été aussi populaire.

J'attends que Christian regarde ailleurs puis je souris à Westie, hoche la tête et mime avec les lèvres : *Si, tout le temps.* Elle glousse et me checke.

— Westie a fini sa prise, annonce le réalisateur en me conduisant vers une longue portion de route délimitée par un cordon de sécurité.

Une petite voiture blanche est garée plus loin. À une centaine de mètres se trouvent des techniciens avec leur matériel.

— Il ne nous manque que le gros plan.

J'acquiesce. Mes pattes de cygne intérieures s'activent.

— Oui.

— Dès que la voiture atteint cette marque, montre-t-il en désignant une ligne tracée à la craie, je veux que tu te jettes par terre, Faith. Ne te bile pas trop pour l'émotion. Le choc physique devrait suffire.

Niveau comédie, il n'attend clairement rien de moi.

— Oui.

— Tu peux le faire ?

— Oui.

— Excellent. (Christian se recule.) SILENCE SUR LE PLATEAU ! Derniers réglages !

On s'active en silence : les caméras s'allument, les projecteurs aussi, on peaufine les détails, on brandit le cochon d'Inde en peluche. Faut absolument que j'apprenne son nom.

— Tout est prêt ! lance une voix.

— En route !

— Son ?

— Cadence !

— Notez !

— Noté.

— Caméra prête ?

— Prête !

— Scène 42, première.

— ACTION !

Un clap claque, j'inspire à fond.

La voiture fait chauffer le moteur. Les roues couinent. Puis, dans un rugissement énorme, elle accélère. Impression qu'elle met une éternité à m'atteindre. Mais je peux le faire. Je peux le faire.

Tu n'as qu'à tomber, Faith. Laisse-toi aller, tombe.

Tombe tombe tombe tombe tombe tombe tombe *tombe...*

La voiture atteint la marque, mes jambes cèdent. Je heurte le sol. Ça me coupe le souffle et je me cogne la tête. Je reste étendue, sonnée, quelques secondes tandis que ça tourne autour de moi.

J'ai réussi.

— Et COUPEZ ! (Christian s'avance.) *On la refait !*

Je m'écroule quinze fois.

En boucle, jusqu'à ce que la douleur et le choc deviennent réels. Le sang aussi, il me semble.

Bref, COUPEZ retentit une dernière fois. Je me relève toute raide. Et ce n'est qu'à ce moment-là, quand un assistant m'enveloppe dans une couverture de survie et m'offre un thé, que je me rends compte : je tremble.

— Ça va ? vient m'interroger le réalisateur.

Je plante un regard froid dans le sien.

— Oui.

— Je dois avouer que tu m'as impressionné. Teddy va être furieux. Bien, je te suggère de te reposer autant que possible ce soir, Faith. On commence très tôt demain et tu devras être au top de ta forme.

Et le programme, ce sera quoi ? Saut à l'élastique, varappe, chute libre…

— OK. Je dois préparer quelque chose ?

— Non. Demain, tu cours, m'annonce-t-il avec un sourire vorace.

Tu aimes les galoches ?

Oui, je trouve sabot.

Courir, je gère.

Juste avant l'aube, on me conduit en un lieu isolé dans le noir. On me redonne les mêmes habits qu'hier et on m'explique le contexte. Puis, entourée d'une équipe réduite, je cours. Dans des herbes basses, des herbes hautes, sur des pentes ; dans de la boue épaisse et des ruisseaux glacés ; je franchis collines et clôtures ; j'évite les arbres, chevaux, moutons et branches tombées.

Je cours des heures et, tandis que le soleil se lève, je retrouve des sensations.

Ce rugissement familier dans ma poitrine. Mes cuisses en feu, mon cœur qui cogne, mes joues qui brûlent et le « wooush » régulier de mes poumons. Le ciel passe du noir à l'argent, mes pieds martèlent le paysage, et un changement s'opère en moi.

Parce que je ne suis pas une Valentine quand je cours. Je ne suis ni une ex, ni une grande ou une petite sœur ; ni une fille de ou une petite-fille honteuse ; ni une tombeuse ni une larguée.

Mais je ne suis pas non plus *personne*. Je suis moi. Oh, comme ça m'avait *manqué*...

— COUPEZ ! hurle Christian lorsque je surgis d'un bois en boulet de canon. Bon sang, Faith. Et moi qui pensais qu'on allait avoir plein de coupes à faire... La course, c'est ton truc, on dirait.

Je souffle, m'essuie une égratignure à la joue.

— Par contre, tu n'as quasiment pas transpiré, soupire-t-il en faisant signe à la maquilleuse. Un coup de spray brillant. Essaie de respirer plus fort, aussi. Tu es censée fuir des zombies. Là on a plutôt l'impression que c'est eux qui te fuient.

Un rire m'échappe.

— Compris. On y retourne.

Je cours de nouveau, le paysage se divise en noir, blanc et bleu. Le front plissé de concentration, je traverse un parking, gravis une colline, franchis un chemin de crête, une caméra me suit de loin, une autre m'attend au sommet.

Au sommet, justement, je souffle fort. Un volcan noir, couronné de neige, se dresse là, à côté d'un lac glaciaire. Des centaines de gigantesques icebergs bleu électrique pointent dans ses eaux turquoise : opaques, comme des tessons de verre de mer. Des phoques gris paressent dessus, on dirait des touristes en séance de bronzette. Et sur le sable gris de la berge, on aperçoit des grêlons gros comme des balles de golf, des ballons de foot ou de volley.

C'est tellement beau, et il fait si froid, que les larmes me montent aux yeux et gèlent instantanément. Des petites lames de glace sur mes cils.

Je cligne des yeux, le caméraman me colle presque. Il doit croire que je joue la comédie mais en vrai j'avais oublié sa présence.

— COUPEZ ! ordonne Christian. Nickel ! En voiture ! tu as bien mérité une petite pause. Tu dois encore courir une fois aujourd'hui.

Je redescends de la colline, monte dans la voiture sans un mot et me laisse aller contre le dossier.

Je ne sens plus mes pieds, mes habits sont trempés et le sang bat à mes tempes. Sans compter que je meurs de faim. Je me demande comment Scarlett aurait réagi à ma place. Elle aurait réclamé une pizza avec supplément saucisse et fromage, je parie. On me lance un sandwich au thon, Christian grimpe à l'arrière.

— Tiens. Tu dois avoir faim.

J'enfourne la moitié du sandwich avant de le remercier d'un digne de tête.

— Tu as bien bossé, aujourd'hui, m'indique-t-il tandis que la voiture se dirige vers la route principale. Demain, c'est moins physique et on a modifié le script pour qu'il te corresponde mieux. Heureuse ?

337

La bouche pleine, je prononce une espèce de :

— *Mharchi.*

— Je te l'envoie par mail, que tu puisses voir ces changements après la prochaine prise, tu pourras ensuite mieux répéter à l'hôtel.

J'avale, non sans mal, ma bouchée de sandwich.

— Hum. Vous n'auriez pas... une version papier ? Je... préfère... lire... et... toucher... un vrai script.

— Ça roule, Faith. Je vais demander à un phoque de t'imprimer ça.

Pardon ?

— On est en pleine brousse, là, façon de parler, explique Christian, vaguement amusé. Ce sera plus facile à lire sur écran, en plus.

Avec une lenteur infinie, je sors mon portable de mon sac.

Hormis trente secondes à l'aéroport, il est resté éteint pendant près d'une semaine. J'espérais arriver à prolonger un peu le silence, mais il semblerait que mon exil volontaire touche à sa fin.

Je me prépare au pire, et je l'allume.

Ding. Ding. Ding. Ding. Ding. Ding. Ding. Ding. Ding. Ding. Ding. Ding. Ding. Ding. Ding. Ding...

— Grands dieux, fait Christian. C'est ton téléphone, ou un cycliste qui veut nous doubler ?

Je découvre tous mes appels manqués.

Noah. Hope. Hope. Hope. Max. Grand-mère. Genevieve. Papa. Papa. Hope. CHTARBÉ : NE PAS RÉPONDRE. CHTARBÉ : NE

PAS RÉPONDRE. Max. Grand-mère. Papa. CHTARBÉ : NE PAS RÉPONDRE. Noah. Genevieve. Grand-mère. Max. Hope. CHTARBÉ : NE PAS RÉPONDRE. Persephone.

Puis les SMS :

T'es oooùùù ? Rentre stp ! Nous abandonne pas ! Xxxxxx

Yo, sœurette, tjrs en rogne ? Tu px rapporter à manger ? Maman a encore fait des siennes cette nuit. Besoin de toi.

Hé ! On se voit ce soir ? Je viens si tu veux ! Dilly-dou x

Sœurette, l'autre connard bronzé est au portail. Je peux le frapper ?

Pb réglé, je lui ai balancé le nounours géant.

Salut, Faith, c'est Genevieve. Le mot de passe de tes comptes sur les réseaux sociaux est VIVREAIMERRIRE666 – merci de mettre à jour régulièrement.

COMMENT TU VAS ? On n'a pas eu de nouvelles depuis que tu t'es enfuie du cours, on est tous inquiets. Dis-nous que ça va ! Mia x

EFFIE, JE VIENS DE LIRE LES JOURNAUX. T'ES PARTIE EN ISLANDE SANS DIRE AU REVOIR ? Hope xxxx

PS STP rapporte moi un pull trop cool.

PPS Et aussi un cheval x

Effie, je viens d'apprendre que tu avais QUITTÉ LA MAISON sans nous en informer, ta mère ou moi. Nous devons en discuter de toute urgence. Merci de m'appeler DQP, Papa qui t'aime x

Faith, tes mises à jour ?! Je poste pour toi en attendant, Genevieve.

Ici ta grand-mère. Contacte-moi dans les meilleurs délais. Merci.

Ding.

RENTRE QU'ON RÈGLE ÇA

Ça, c'est Mercy.

Même pas en rêve j'ouvre mes mails ou alertes Google. J'ai déjà le souffle court et la gorge nouée. Je ne sais pas trop ce que je croyais : que j'allais demander fermement qu'on me laisse respirer et que tout le monde allait... obéir ?

Comment voulez-vous que je mette des limites si tout le monde les ignore ?

La voiture s'arrête dans un parking désert.

— Prête ? me demande Christian alors que je fourre mon tél et le reste de sandwich dans mon sac. L'équipe est prête, tu n'as qu'à courir sur la plage aussi vite que possible. Tu es pourchassée par un truc horrible, essaie d'avoir l'air piégée et désespérée.

Bon, je n'ai rien fait de mal, hein ? Pas comme si j'avais fugué. *J'ai accepté un rôle.* C'est bien ce que tout le monde me pousse à faire depuis toujours, non ?

— On va la tenter en une prise. Dans l'idéal, j'aimerais boucler le reste avant le prochain orage.

Alors pourquoi cette impression que ça ne suffit pas encore ? D'avoir une fois de plus lâché tout le monde ?

— Après ça, Westie prend le relais pour l'entrée dans l'eau.

Ça s'arrête quand ? Je pose ma main sur ma gorge.

— OK. Ça marche.

Le corps dans du coton, je descends de voiture et me dirige vers une plage de sable noir dominée par une falaise noire. La mer est grise, son écume blanche. Le ciel gris ardoise. Comme si le monde était passé au noir et blanc et que moi je restais en couleur.

J'attends en silence à l'endroit qu'on m'a indiqué. Respire. Un écho flou de *Silence sur le plateau, derniers réglages, tout est paré* – respire – *en route, son, cadence* – respire – *notez, noté, caméra prête* – respire – *prête, scène 26, première* – respire – *et…*

— ACTION.

Je cours sur le sable noir.

Je ne peux plus. Je ne peux plus.

Mes jambes s'emmêlent. Je trébuche, tombe, me relève, reprends ma course. Parce que Scarlett avait raison, c'est ce que je fais tout le temps, n'est-ce pas ?

Je fais ce qu'on me dit et quand c'est trop, je cours.

Quand je ne peux pas dire *non*, je cours.

Quand je souffre, je cours.

Quand quelqu'un que j'aime est malheureux et que je n'y peux rien, je cours, je cours, je cours, je cours, je cours. Sauf que je ne cours jamais assez vite, ni assez loin, et que ça ne me mène nulle part. Je reviens toujours à la case départ car je ne sais pas ce que je *veux* au fond. Alors me voilà ici...

— Et... COUPEZ !

Coincée.

— *COUPEZ*, FAITH !

La mer se déchaîne et je me précipite vers les rouleaux.

— FAITH VALENTINE ! ÇA N'EST PAS TA SCÈNE !

J'inspire sec quand l'eau glacée me lèche les jambes.

— FAITH, MAIS QU'EST-CE QUE TU FABRIQUES ?

Je retiens mon souffle et plonge dans des eaux si froides et rageuses que ça me fait comme un coup de poing.

— FAITH, NON !!

Je ferme les yeux et sens une vague s'écraser sur ma tête. L'eau rugit, elle saccage mes habits, lessive le sang, jusqu'à ce que j'aie l'impression d'avoir disparu.

Sauf que je n'ai pas disparu, je ne disparaîtrai pas, je refuse de disparaître.

Assez.

Mes jambes moulinent à mort sous la surface. Puis, toute pantelante, je jaillis des vagues et regagne la plage, titube sur le sable noir.

Un Christian furieux et des assistants avec des serviettes, des boissons chaudes et des couvertures de survie se précipitent vers moi.

— Faith ! crie-t-il. Tu ne m'écoutais pas ? Cette scène n'était pas prévue pour toi !

Je prends une serviette et m'emmitoufle dedans.

— Oups.

Alors que ce que je voulais dire c'est : *tout à fait.*

54

Que dit l'océan au rivage ?

Il divague (dit « vagues »).

J'envoie un SMS :

Je vous contacterai quand j'en aurai envie.

À tout le monde. Puis je mets mon téléphone en mode avion et passe le reste de la soirée à bosser ma nouvelle scène. J'ai une fièvre en moi dont je n'arrive pas à me débarrasser. Une colère, une agressivité, comme si je voulais casser des trucs. Je commence à comprendre ce que Mercy ressent 98 % du temps.

— Souris, ma belle ! me lance un inconnu au petit déjeuner, pendant que je me sers un café.

Je lui adresse un regard froid.

— Je sourirai quand j'en aurai envie. C'est *mon visage.*

Je bous encore pendant que je relis le script avec le réalisateur, tout en m'efforçant de rester polie. Après quoi on me conduit dans une chambre d'hôtel pour me préparer. La costumière me donne la même tenue que les deux derniers jours mais propre et neuve, cette fois. J'ai aussi droit à un joli maquillage : pas de sang, pas de griffures, pas de transpiration. On reprend au début, la scène où tout a commencé.

Tu m'étonnes.

Enfin, on me conduit au nouveau plateau. Un autre champ désert avec une cabane en bois perdue au milieu : à moitié écroulée, des trous dans le toit, une vieille balançoire dehors, grand classique du cinéma flippant. L'équipe tente de faire entrer le plus de caméras et de matériel d'éclairage possible dans un cabanon de dix mètres carrés.

— Frankie ! m'interpelle Christian Ellis. Viens, que je te présente à ton partenaire de baiser ! Voici…

— Fred, je le coupe.

— Ambrose, rectifie un blond bien canon en me tendant la main. Mais sinon, oui, c'est moi qui joue ton mec.

— Youpi, je soupire. Un de plus.

Je le laisse battre des cils et me tourne vers Christian. Qu'on en finisse.

— Donc… Où veux-tu que je…

— Salut, Effie.

Une ancre de marine me tombe dans le ventre. Je pivote sur mes talons.

— Ah ! s'exclame le réalisateur. Magnifique ! Faith, je te présente Patricia Allerton, une des meilleures coachs du circuit. La journée s'annonce corsée. Tu parles d'un scoop, ha ha ! Patricia est donc venue te donner quelques conseils.

C'est la vieille dame aux lunettes en écaille de mes auditions, celle dont le nom ne me revenait pas. Un sourire, et elle me prend par les mains, les serre entre les siennes.

— On se connaît, non ? Tu te souviens ? Je coachais ta mère, donc je t'ai connue enfant.

J'en ai la gorge nouée. Parce que oui, je me souviens bien d'elle. Elle nous regardait sous la tente, pendant la fête de mes parents, à côté d'un énorme vase d'orchidées. Je nous revois en blanc, en rouge, en bleu, en jaune, en vert, en violet. Je revois les sourires de mes parents, l'assistance, les lumières et la peur qui me tétanisait.

Tout me revient, et ma colère s'apaise brusquement.

— Je sais que j'aurais dû rester en contact, souffle-t-elle en me pressant encore les mains. J'en suis navrée. Je ne savais pas trop quoi dire, même si ce n'est pas une excuse.

Je hoche la tête et déglutis.

— Effie, je sais que jouer la comédie n'a jamais été une partie de plaisir pour toi. J'ai assisté à votre petit spectacle, lors de l'anniversaire de mariage de tes parents, tu t'en souviens ? Mais nous allons décortiquer cette scène ensemble, ça va aller. Qu'en dis-tu ?

J'ai de nouveau neuf ans, tout à coup, et je porte les baskets de ma mère.

— Oui, s'il vous plaît, je réponds d'une toute petite voix.

— Splendide ! intervient Christian. Maintenant, Frankie, dans la cabane avec Fred, je te prie. Patricia, tu l'accompagnes, OK ? Et que ça pétille !

J'ai les mains qui tremblent de nouveau. La figure qui se tend. Les épaules qui se crispent. Le ventre qui fait la toupie. Une rigidité envahit mon corps, me change, peu à peu, en glaçon. Une statue de chair et d'os.

J'ai travaillé. J'ai répété. J'ai lu ce script des dizaines de fois. J'ai même déjà *joué* cette scène. Je sais que Frankie aime Fred ; qu'il y a des bruits inquiétants à l'extérieur ; qu'il va sortir alors qu'elle ne le veut pas ; elle a peur ; ils s'embrassent...

Alors pourquoi est-ce que je me fige encore ? Qu'est-ce qui cloche, chez moi ?

— Tu peux le faire, m'assure Patricia alors que je cherche une issue. Je suis là si tu as besoin de moi.

Je hoche la tête, retiens mes larmes. Puis j'entre dans la cabane.

Christian Ellis me place sur ma marque, nous indique les angles des caméras, puis ressort nous observer à travers une fenêtre sans vitre.

— SILENCE SUR LE PLATEAU !

— Son ?

— Cadence !

— Caméra prête ?

— Prête !

— Scène 1, première.

— Et… ACTION !

Des bruits résonnent à l'extérieur : bêtes effrayées, branches qui cassent. Fred se tourne vers moi, les yeux écarquillés, et je suis censée dire :

Fred ! C'était quoi ? J'ai entendu du bruit, il y a quelqu'un dehors

et lui ensuite *Mais non enfin*

puis moi *On a fait une erreur, on devrait s'en aller*

et lui ensuite *C'est juste un mouton ou un truc comme ça*

puis moi *les moutons ne font pas ce genre de bruits*

et lui ensuite *Une vache, alors*

puis moi *Ne pars pas* et on s'embrasse on s'embrasse on s'embrasse.

Je scrute Fred en silence.

Je peux le faire. Seulement, je n'en ai pas envie.

— Non.

Fred se tourne vers l'équipe, la caméra, avant de me regarder de nouveau.

— Hmmm. C'est pas ton texte.

En fait, si.

— Je ne veux pas jouer.

Je me tourne vers le réalisateur. Ma voix est nette, grise et calme.

— Je n'ai jamais voulu jouer la comédie. Je n'aime pas ça. Ça ne me rend pas heureuse.

348

Mon corps me crie NON depuis près d'un an, mais je ne l'écoutais pas. Trop occupée à m'en vouloir de ne pas *savoir* jouer, je ne me demandais même pas si j'avais *envie* de jouer. Je n'en ai pas envie. Ça, j'en suis sûre.

Je dois déplacer mon cercle tout de suite, avant qu'il s'arrime au sol.

— Excusez-moi, monsieur Ellis, d'avoir accepté ce rôle et de... En fait, non, pas vraiment. J'ai à peine seize ans mais vous vous êtes servis de moi pour la presse. Ça n'est pas bien. Je suis désolée d'avoir fait perdre du temps à votre équipe, mais je préfère vous faire perdre trois jours que de gâcher le reste de ma vie.

Il me regarde, l'œil vide.

— Alors je vous dis... non.

Un rugissement silencieux et régulier monte de mes orteils à mes chevilles, mes genoux, mes hanches, mon ventre, ma poitrine, mes épaules, mes coudes, mes doigts, mon cou, mes joues, mes yeux et quand enfin je souris, je le ressens dans tout mon corps.

Ce n'est pas juste une fossette que j'affiche. Christian scrute le ciel menaçant, se pince le nez.

— Bien. Soit. C'est sans doute une bonne décision. Je n'ai pas non plus envie de coacher mon premier rôle sur toutes les scènes alors que je peux avoir une pro qui saura ce qu'elle fait. On va faire venir la remplaçante dès ce soir.

Surprise. Puis soulagement.

— Merci, je dis sur un ton chaleureux.

Patricia me sourit. Moi aussi.

Après quoi je sors de la cabane et je respire

je respire

je respire

je respire

je respire

je respire.

Enfin, je récupère mon téléphone et envoie un texto à une seule personne :

OUI

55

Comment fait-on taire un canard ?

On lui cloue le bec.

Mercy m'attend.

Quand je rentre par la fenêtre le lendemain soir, elle est déjà là, pile où je l'avais deviné. Blottie sur mon lit. Adossée au mur, les bras autour des jambes, le menton sur les genoux, elle scrute la porte de ses grands yeux sans fond.

Mon cœur se serre.

— Salut, sœurette.

Elle lève la tête, la douleur que je lis sur ses traits me coupe le souffle.

— Salut.

On reste là à se regarder.

— Mercy…, je commence.

— C'était moi, avoue-t-elle tout bas. J'ai embrassé Noah.

Le monde devrait se renverser, exploser... mais il n'en est rien.

— Il ne te comprenait pas, ajoute-t-elle, les yeux luisants. Tu n'es pas comme nous, Eff. Tu ne l'as jamais été. Nous, on a besoin des projecteurs pour avoir l'impression d'*exister*. Pour se sentir plus grands, plus réels. Pour avoir la sensation... d'*être vus*.

Elle ferme les yeux.

— Alors que toi c'est tout le contraire. Même quand on était petits. La célébrité... ça te *hérisse*. Et ça, Noah ne l'a jamais capté en toute une année. Je ne pouvais pas rester sans rien faire alors que toi tu rapetissais. Tu commençais même à... disparaître. Mais comme tu n'allais jamais le plaquer...

Ma sœur rougit, détourne le regard.

— ... Je me suis mis une perruque blonde, j'ai sauté dans un taxi. Je me suis incrustée dans l'after, j'ai payé un gars cinquante livres pour qu'il nous shoote, j'ai chopé Noah et je l'ai embrassé. Il n'a même pas su que c'était moi. Après, j'ai filé les photos à la presse. Je m'en veux à mort, Faith. C'est aussi moi qui ai fait entrer les paparazzis dans la propriété, ajoute-t-elle d'une voix dure, le menton relevé.

Je connais cette expression. C'est celle qu'elle affichait quand elle pétait le vélo de Max ou le plus beau vase de Maman, ou quand elle déchirait le tee-shirt préféré de Hope en jouant à l'épervier : menton haut, mâchoire serrée, regard de défi.

Elle est toujours là, la petite fille. Et l'élan d'amour que je ressens pour ma sœur est si brut et soudain que c'est comme un cri de bête. J'ai envie de l'étreindre, de la tuer, de l'embrasser, de lui faire mal, de la démembrer puis de la réparer.

Mercy ne se glisse pas dans mon lit tous les soirs pour m'embêter ou par flemme de trouver le sien. Non, elle me rejoint parce qu'elle fait encore des cauchemars et ne veut pas rester seule.

Parce qu'elle sait que moi aussi j'en fais encore.

— OK, je réponds tout simplement.

Silence. Puis la tête de Mercy part comme si je l'avais giflée.

— *OK*?

— Oui.

— Tu as dit *OK*?

— Oui. Je compr...

— STOP ! T'AVISE PAS DE DIRE QUE TU COMPRENDS, FAITH ! Ni de te mettre à ma place ! Ni de m'aimer à ce point ! Je te *préviens* !

Ma sœur bondit hors du lit, les poings serrés, haletante, et me claque fort le bras.

— GUEULE-MOI DESSUS ! (Vlan.) DÉTESTE-MOI ! (Vlan.) *DÉTESTE-MOI* ! (Vlan.) CE QUE J'AI FAIT EST IMPARDONNABLE ! Je suis *ta sœur*. TA *SŒUR* !

Elle fond en larmes. Je tente de l'attirer contre moi.

— Mer'... Tu voulais juste que je sois heureuse, tu...

— MÊME PAS VRAI ! (Elle se dégage, toute tremblante.) JE L'AI FAIT PARCE QUE JE SUIS UN
MONSTRE, FAITH ! Parce que je veux déchirer, fracasser et détruire tout ce qui m'entoure jusqu'à ce qu'il
ne RESTE PLUS RIEN.

Ses yeux sont humides.

— Je t'ai fait du mal, Faith. Je leur ai ouvert la
porte, et j'ai aggravé les choses. Je t'ai obligée à fuir. Je
n'aurais jamais dû... je n'avais pas le droit de... j'hallucine encore... J'ai commis une *énorme* erreur. Et je
m'en veux, si tu savais. Je t'en supplie, Faith, ne me
déteste pas. Ne me déteste pas, ne me déteste pas, ne
me déteste pas...

Mon cœur rugit tellement fort que j'en reste para-
lysée. La douleur me monte à la gorge, la bloque.

Il y a de ça deux ans, la famille Valentine a explosé
en un million de fragments. Mercy s'écroule par terre,
sanglote dans ses mains.

— Je peux pas... Je peux pas... Excuse-moi, je t'en
supplie, Eff. S'il te plaît. Je ne peux pas perdre encore
une sœur.

56

Huit ans plus tôt.

— Lumières ! Caméra ! Action !

— C'est pas comme ça qu'on dit, en vrai, observe Max depuis la coulisse en faisant tourner sa corde à sauter jaune moutarde par-dessus son épaule. Ça, c'est juste une légende urbaine.

— Oh toi t'es juste un pet à remuer, soupire Hope. Tu proutes et tu pues. Beurk, beurk, beurk.

— Un pétard mouillé. Rien à voir avec les pets.

— Un pétard comme les claque-doigts ?

— Non, comme les feux d'artifice. Et un pétard mouillé, on ne peut pas l'allumer. D'où l'expression.

Hope tourne alors son visage rayonnant vers le parterre de célébrités.

— Oh, coucou, je vous avais oubliés ! Merci beaucoup !

Éclat de rire général.

— Mesdames et messieurs ! enchaîne ma sœur, les bras écartés. Mes estimés membres de l'industrie de Hollywood ! BIENVENUE à votre pestacle ! Ce soir, pour fêter les dix ans de mariage de nos parents, nous, les terribles enfants Valentines, nous allons vous éblouisser avec notre numéro qu'on a écrit exprès !

Elle tourbillonne sur elle-même dans son pull violet vif et se met à agiter les bras. Nous, on échange des haussements d'épaules : *Qu'est-ce qu'elle fabrique ? Jamais à court de pitreries*, celle-là.

— Préparez-vous à être *absou... asbou... asbasou...* (Pause. Ma petite sœur cogite.) Épatés ! Et n'oubliez pas de prendre ma carte en sortant sur la table de droite. Je serai disponible pour tous vos bons rôles de comédiennage dans un peu plus de huit ans. Je vous remercie.

Hope désigne du geste une pile de cartes découpées dans des boîtes de céréales sur lesquelles elle a gribouillé son nom et son adresse. Rires dans le public.

— Pour vous ce sooooooir... *Meurtre à bord du National Express* !

Elle se retire sous un tonnerre d'applaudissements.

Profitant que Mercy et Max se disputent le droit de donner le coup de trompette, je me place dans un coin de la tente. Tout est splendide – les fleurs, le buffet, les robes – et je reconnais pas mal de monde : plusieurs générations de stars de cinéma.

Mes parents se tiennent au premier rang, luisants de bonheur. Maman est tout en courbes et en lumière dans sa robe verte ; Papa, d'une élégance folle dans son

smoking, lui sourit, un bras autour de ses hanches.
Tous deux rient un peu trop fort.

— Bigre, Juliet, j'entends prononcer Papa. Tu vois
ce qu'on a fait ? Pourquoi ont-ils autant besoin d'attention ? Aurions-nous échoué en tant que parents ?

— Je le crois, sourit Maman. De vrais petits cabo-
tins.

— Désolé, lance Papa aux invités de choix. Consi-
dérez que c'est le prix à payer pour une sélection plus
que généreuse de petits-fours.

Nouveaux rires. Tout le monde adore les Valentines.

— *À toi*, chuchote Mercy en poussant Max. *À toi*,
débile.

Mon frère, onze ans, maigre comme un clou, monte
sur scène et enchaîne les mouvements avec sa corde à
sauter. La peur s'empare de moi. On a répété pendant
des semaines mais, tout à coup, on n'est plus seulement à six. Brusquement, tout est beaucoup plus...
public.

— C'est pas mon meilleur profil, explique Hope à
Ben en lui montrant sa joue gauche. Lui, c'est mon
meilleur.

Ses énormes lunettes sur le nez et une grande
écharpe verte au cou, Ben la fait pivoter sur elle-même,
lui tapote la nuque et réplique :

— Non, c'est ça, ton meilleur profil.

— Oh toi alors ! s'esclaffe Hope en secouant ses
cheveux, ravie. Tu es trop vilain.

— Faith, siffle soudain Mercy. Ça va être à toi !

Mon corps entier se met à trembler, je me tords les mains. Sans que je me l'explique, la scène se rapproche, la foule se fait plus bruyante, l'éclairage plus puissant, ma voix plus petite et je ne peux pas, je ne peux pas, je ne peux...

Une main délicate se pose sur mon bras. Un murmure rauque.

— Sois l'orange, Eff. Et si ça ne marche pas, essaie la clémentine. Plus petite. Moins de pépins.

Je me retourne, Charity est là, tout de violet vêtue.

Notre grande sœur à Mercy, Hope et moi : née trois minutes avant Mercy, copie conforme de celle-ci à l'exception d'une cicatrice au niveau du sourcil gauche. Niveau caractère, par contre, pile l'inverse. Mercy n'a pas de patience ; Charity est toujours calme. Mer' prend tout au sérieux ; 'Tee se marre tout le temps.

Tout est une farce, pour elle.

Film transparent sur la cuvette des W.-C., graines semées dans le portable de Papa, fourrage de biscuit remplacé par du dentifrice, fourrage de donut par de la mayo.

Sa musique est toujours trop fort, sa chambre toujours trop lumineuse.

— *Charity* ! crie Maman une fois par heure. La lumière !

— Tu n'en as pas assez au travail ? lui renvoie, morte de rire, ma sœur. T'es vraiment une diva, Maman.

Pourtant, on gravite tous autour d'elle comme les planètes autour du soleil. Elle nous apporte ce qui nous manque. De la force à Hope ; de la compagnie à Max ; de la douceur à Mercy ; de la légèreté à Maman ; de la fierté à Papa ; de la chaleur à Grand-mère.

À moi, elle m'apporte le rire.

— Tiens, me sourit 'Tee alors que Max joue encore les cowboys de rodéo sur scène et que Mercy lui fait signe de sortir. Prends-le. Ça te portera bonheur.

Sur ce, elle arrache un Post-it collé sur son script, griffonne un truc dessus et me le fourre dans la main.

Je regarde.

Quel est l'insecte le plus pressé ?

L'abeille : elle file toujours dard-dard.

— Comprends pas.

Du haut de ses neuf ans, ma sœur se marre : un gloussement bébête qui lui vaut un regard noir de la part de Mercy.

— Je me doute, pétille Charity. Tu ne captes jamais. Fais un effort.

Je fronce les sourcils et relis le Post-it. La blague est toujours cachée là où je ne la vois pas. Comme une réponse à une question que je n'ai même pas posée.

— Elle a quoi, l'abeille, Eff ?

— Des ailes ? Des rayures ? Du miel ? (Mes yeux s'écarquillent.) Un *dard*.

— Et voilà.

On reste un moment à se regarder. Le visage de Charity ressemble à mort à celui de Mercy et pourtant il est carrément à part. Après quoi tous les muscles de mon corps se mettent à trembler.

Un ricanement jaillit de mon nez. Et je n'ai pas le temps de le retenir que voilà que je glousse, renifle et hurle de rire, tant et si bien que ma nervosité s'évapore comme une brume violette.

— Chaque fois que ça devient trop lourd, trouve la blague, Eff, me conseille ma sœur en m'ébouriffant les cheveux. Rien n'est dur quand on se marre.

Je hoche la tête et fourre le Post-it dans ma poche.

— Je t'adore, 'Tee.

Ma grande sœur, l'aînée des filles Valentine, m'enlace d'un bras violet. Elle me pousse délicatement vers la scène.

— Je t'adore aussi, Eff-idou. Tu vas faire un malheur, ma blagueuse à moi.

57

Et là, boum, je m'écroule.

J'enlace Mercy qui sanglote dans mon cou. Nos genoux se touchent.

— Tu ne m'as pas perdue, je lui chuchote avec force. Je ne vais nulle part, Mer'. Promis.

Les sanglots cessent dans un hoquet.

— Enfin, si, je vais quelque part, j'enchaîne en l'embrassant tendrement sur le front. Retrouve-moi dans le couloir dans cinq minutes.

Parce que ça suffit, en fait.

58

Je réunis un par un les membres de ma famille.

C'est le deuxième anniversaire de la mort de Charity, et on est tous revenus au manoir. Je trouve Hope dans la pièce ciné, Papa dans son fauteuil au salon, Grand-mère dans la bibliothèque, Max dans la cuisine, Maman dans sa chambre aux rideaux tirés.

Réunis mais séparés dans la douleur.

— Tu sors d'où, toi ? s'étonne Max. Je te croyais en Alaska.

Hope avale les marches et se jette à mon cou, soulagée, me couvre les joues de petits bisous.

— Eff', t'es rentrée, t'es rentrée ! J'étais sûre que t'allais rentrer ! Lui, il disait que tu voulais émigrer, mais moi je sais bien que c'est les oiseaux qui émigrent.

La porte de Maman s'entrouvre ; elle nous aperçoit, hésite. Puis elle pose son pied dans le couloir. Hope se décolle de moi et fonce vers notre mère.

— Maman ! Toi aussi t'es là ! Oh et super belle en plus, j'adore ta chemise de nuit, c'est un modèle haute couture ? Je peux te l'emprunter, steuplé, steuplé, steuplé ?

Un léger sursaut, puis Maman pose sa main sur la tête de Hope.

— Mais bien sûr, mon bébé.

— Bonjour, Juliet, prononce Papa, immense dans le couloir.

Maman hoche la tête. Les yeux humides et rosis. Personne ne va raconter qu'elle a mis la maison sens dessus dessous il y a deux jours quand elle cherchait une couverture pour bébé à donner pour la... vente de *Charité.*

— Quelqu'un pourrait-il m'expliquer, je vous prie, intervient Grand-mère, essoufflée, en haut de l'escalier, pourquoi on me demande de monter au dernier étage de cette demeure, tel un *singe savant* ?

La porte de ma chambre s'ouvre. Mercy a le visage propre et bouffi, sans le moindre maquillage. Ça la rajeunit vachement. Toujours dans son deuil perpétuel, elle porte un jean et un pull noirs.

Elle m'adresse un regard puis incline la tête.

Ce doit être la première fois qu'on est tous réunis depuis l'enterrement.

Je sors une clé de ma poche.

— J'ai quelque chose à vous montrer, j'annonce en ouvrant la porte de la chambre située entre celles de Maman et de Mercy.

Une chambre qui était autrefois pleine de lumière et de vie, et où règne maintenant un silence assourdissant.

Nous entrons en silence, justement. Puis Mer' produit un petit bruit de gorge et plaque sa main sur sa bouche.

Il y a des Post-it collés partout. Autour du miroir poussiéreux et sur les murs ; sur les bords des posters et sur la coiffeuse encore couverte de taches de maquillage et de tubes de rouge ouverts. Au-dessus de la porte, sur la tête du lit, et sur les collages de photos de nous tous.

Comment prépare-t-on des huîtres ?

En faisant deux fois quatre « res ».

Quel est le plat préféré de l'abominable homme des neiges ?

Les spagh-yéti.

Quel dinosaure aime bien toucher tout ce qui bouge ?

Le ptéro... tactile !

Un festival de blagues. La plupart nazes, toutes cucu, l'immense majorité copiées sur le Net ou dans des bouquins à deux balles. J'ai écrit chacune d'elles quand ça devenait trop lourd, quand j'avais besoin de rire, de me sentir plus proche de ma sœur.

— Eh ben, dis donc, finit par souffler Max, les yeux comme des soucoupes. Faith. Tu te sens bien ?

Hope se promène dans la chambre, caresse les livres de Charity, ses vieux nounours. Et Maman n'arrête pas de cligner des yeux, comme si la lumière était trop forte.

Papa ramasse un magazine resté ouvert, pousse un long soupir.

— Personne... Tout est comme... On n'a pas... ? Je croyais que... Enfin, Maggie n'a pas fait le ménage ?

— Non, je réponds tout bas. Maman lui a demandé de ne pas le faire.

Grand-mère s'assoit dans un fauteuil poussiéreux.

— Je ne comprends pas, dit Mercy en prenant un Post-it. C'est toi qui les as écrits, Faith ? Il y en a... des *centaines*.

— Deux années de comédie.

— Mais... On ne parle jamais d'elle. Jamais. Chaque fois on change de sujet. Je pensais que tout le monde... oubliait.

— Non, fait Hope en passant son doigt sur une étagère. On ne parle pas d'elle parce qu'on pense à elle tout le temps.

Je regarde ma cadette, surprise.

Puis je contemple la chambre que Charity a peinte en jaune primevère : on distingue les traces de rouleau au plafond.

— Tout ce qu'elle aimait, c'était des blagues. Elle détestait tout ce malheur.

Je prends un rouleau de papier toilette posé sur sa table de nuit.

— Un faux, j'annonce en retirant la première couche de papier. Dessous, c'est du plastique. Notre follasse de sœur avait fabriqué un faux rouleau de papier pour nous coincer aux W.-C.

Max éclate de rire.

— Elle m'a traumatisé à vie, la petite chipie, dit-il. Depuis, j'ai toujours des Kleenex sur moi.

Je ramasse la perruque aux longues mèches rouges qui traîne sur le bureau.

— Mercy. Elle l'accrochait au-dessus de ton lit pour que, en te réveillant, tu croies qu'un fantôme descendait de ton plafond.

— Mouais, bredouille ma grande sœur en haussant les épaules. Flop total.

— Hum, tu as réveillé toute la maison, tellement tu hurlais. Et ça ? (Je récupère un bout de papier avec VOIX ACTIVÉE imprimé dessus.) Vous vous rappelez quand elle avait scotché ça sur le nouveau grille-pain, et que Hope a passé des heures à lui hurler des ordres ?

— Hé ! s'indigne Hope en tirant un rideau. On est super riches et super célèbres. Si quelqu'un doit avoir un grille-pain-robot-serviteur, ça devrait être nous.

Papa se marre tandis qu'un rayon de lumière perce l'obscurité et frappe les murs jaunes. La poussière tourbillonne comme des millions de loupiotes.

Hé, sœurette. Voilà pour toi.

— Charity était une quiche, je déclare en tirant l'autre rideau. Soûlante, ridicule. Elle claquait tout son argent de poche ou presque dans des coussins péteurs. Pourtant on l'aimait et cet amour nous donnait de la lumière. C'est ce que je veux retenir. Qu'on parle d'elle. Qu'on rigole avec elle. Et qu'on poursuive nos vies. Au lieu de… s'enfermer dans le noir.

J'ouvre la fenêtre. Tout le monde baisse les yeux.

Je vais tirer les rideaux de l'autre fenêtre. La chambre scintille. Maman va admirer le jardin, sans bruit, le dos rigide.

— Encore une chose.

Grand-mère lève un regard inquiet vers moi.

Je ne lui ai pas adressé la parole depuis la vente aux enchères. Alors j'inspire à fond et la regarde dans les yeux.

— Je ne veux pas être actrice. Je ne veux pas être célèbre. Je ne veux pas donner d'interviews, de réponses toutes faites, ni me faire prendre en photo, ou que ma vie soit disséquée en permanence. Je veux mon *intimité*. Une vie normale. J'ai fait de mon mieux pour vous rendre tous heureux, jusqu'à en oublier que moi aussi j'ai le droit d'être heureuse.

Une main crispée sur le pommeau de sa canne, ma grand-mère me demande :

— Mais que racontes-tu, enfin, mon enfant ?

J'observe cette famille que j'aime de tout mon cœur, et dont chaque membre me tire dans une direction différente.

Le monde est mon huître.

— Je ne veux plus être une Valentine.

59

Silence. Puis…

— NOOOOOOOOOOOOOOOOOOOOO
OOOOOOOOOOON ! (Hope se jette à genoux,
agite les poings au plafond.) J'EN ÉTAIS SÛRE !
JE SAVAIS QU'UN JOUR TU NOUS DIVOR-
CERAIS ! JE LE SAVAIS ! NOOON ! JE VOUS
MÉDIS, LES ÉTOILES !

Hilare, je relève ma petite sœur par les aisselles.

— Je ne divorce pas. Je ferai toujours partie de
la famille. Par contre, je vivrai ailleurs. Je ferai autre
chose. Sous… un autre nom.

Mouais, ça ressemble pas mal à un divorce.

— Mais…, intervient Max. Eff', enfin, tout le
monde veut être nous. Pourquoi tu veux être comme
tout le monde, toi ? Qu'est-ce que ça va t'apporter…
l'*ordinaire* ? demande-t-il avec une grimace grotesque.

— Aucune idée, je réponds en souriant. C'est précisément ce qui m'intéresse.

Parce que la brume s'est dissipée et que, quand je baisse les yeux, je vois mes pieds, le sol, et je peux aller où je veux.

Même si je ne sais pas encore bien où. *Surtout*, si je ne le sais pas.

Le rugissement chaud m'envahit encore, et je me tourne avec tendresse vers ma mère. A-t-elle jamais eu le droit de choisir, elle ?

Elle reste à la fenêtre, encore fragile, recroquevillée sur elle-même, et mon cœur se serre. Je ne suis même pas sûre qu'elle m'ait écoutée. Elle va avoir du mal à revenir vers nous. Perdre une sœur c'est insupportable, mais perdre une fille… ? Comment se remet-on d'un tel chagrin ? Par où commencer ?

Là, comme si elle m'entendait, elle se tourne vers moi, ses yeux embués croisent les miens. *Je suis désolée.*

J'esquisse un sourire triste. *Moi aussi.*

Sans un mot, Papa va l'enlacer tandis qu'elle braque de nouveau son regard vide sur les arbres. Ensuite, il se tourne vers moi et me demande :

— Et donc, Effie, si tu n'es plus une Valentine, qui vas-tu être ?

— Faith Rivers, je lui réponds.

— Mais… Tu prends mon nom ? Attends… tu en as le droit ? demande-t-il, l'air sincèrement sonné.

— Ça se fait tout le temps, assure Hope en lui tapotant le bras. Ça s'appelle *les qualités des genres*, Papa.

Coup d'œil à ma grand-mère. Elle n'a quasiment pas dit un mot depuis qu'elle est entrée dans cette pièce, et là, toute raide et vêtue de velours, elle se confond presque avec le fauteuil.

Elle s'appuie sur sa canne, se lève lentement. Me regarde fixement.

— Faith. Sais-tu pourquoi je t'ai donné des leçons tous les mercredis pendant un an ?

— Oui, j'acquiesce en ravalant ma culpabilité. Et je m'en veux, Grand-mère. Sincèrement. Je sais que nous sommes une dynastie centenaire. Je sais que je m'assois sur une chance extraordinaire. Je sais que j'étais le futur des Valentines mais je…

— Je t'ai donné des leçons, me coupe Grand-mère, parce que tu en avais besoin.

Je rougis.

— Oui, *je sais*. Je suis une très mauvaise actrice mais…

— Non. Pas parce que tu es une très mauvaise actrice. Dieu m'est témoin, Hollywood s'est bâti sur les visages de jolies femmes dénuées de tout talent de comédienne. Mes leçons avaient pour but de protéger ton intimité.

Je reste bête.

— Hein ?

— Tu crois que je ne sais pas quelle est ta couleur préférée ? Ou ton parfum de crème glacée préféré ? Tu penses que je t'ai fourni des réponses toutes faites, et que Genevieve poste à ta place sur les réseaux sociaux, parce que ta vraie personnalité ne compte pas ? Ma petite chérie, c'est précisément le contraire.

Ma mâchoire se décroche. On ne me préparait pas à être connue du monde entier. On me préparait à me préserver du monde entier.

Au bout de six décennies de célébrité, ma grand-mère faisait de son mieux pour m'offrir une coquille et s'assurer que personne ne pourrait l'ouvrir.

Contrairement à ce qu'a subi ma mère.

— Mais si tu ne veux pas jouer la comédie…, reprend Lady Sylvia Valentine en se penchant vers moi. Alors je t'en conjure, n'accepte pas toutes les frivolités qui vont avec. Ce serait à coup sûr la recette de ton malheur.

Ma gorge se serre.

— Merci.

— Cela dit, ajoute-t-elle, pince-sans-rire, j'ai beaucoup apprécié ton petit numéro, à la vente aux enchères. Quand bien même la toile de maître que tu as cédée pour des clopinettes nous appartenait, au départ.

— Minute, glisse Hope. Laquelle ?

Oups.

Et alors, tout doucement, la chambre s'emplit de bruit et de couleur. Papa admire une vieille photo de Charity et lui ; Hope lit des blagues et glousse ; Maman s'est éloignée de la fenêtre et caresse à présent les habits de Charity ; quant à Grand-mère, elle la couve du regard.

La famille Valentine reprend peu à peu ses marques : chacun trouve sa place, se rappelle son texte, reprend position. Sauf que cette fois, moi, j'ai un rôle que j'ai choisi.

— Mercy, je dis soudain en décollant un Post-it du mur et me tournant vers l'unique coin sombre et muet de la pièce. Tu te rappelles, 'Tee trouvait que celle-ci était la plus tordan…

Mais quelque chose me dit que ce coin de la pièce est désert depuis un moment.

Ma sœur est partie.

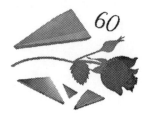

60

Quel animal est le plus généreux ?

Le chat-rité

Plus que quelques bricoles à régler.

Sans bruit, je regagne ma chambre vide et colle le tout dernier Post-it à côté de mon lit, afin de pouvoir le lire tous les matins.

Tu vas faire un malheur, ma blagueuse à moi.

Puis je me plante devant le miroir brisé. Je décolle les talons et observe mon reflet tandis que je tends le bras gauche : grand plié. Je repose un pied, lève la jambe en arrière : arabesque. Un relevé pour m'étirer le pied. À la seconde.

Rien n'obligeait le cygne blanc à se noyer, vous savez.

Battement fondu, battement frappé ; quatrième devant.
Glissade.

Il avait des ailes ; il aurait très bien pu s'en aller.

Entrechat.

Sourire aux lèvres, je me dresse sur les pointes, lève une jambe et tourne lentement, un bras en l'air. Je dégomme deux trois chauves-souris. Baboum. Puis j'éclate de rire et fais la révérence aux mille versions de moi-même dans le miroir. Car ce que je vois à présent, c'est toutes les femmes que je suis, toutes les femmes que je veux être et tous les choix que je ferai.

Et tout ça sera enfin… *à moi.*

Une dernière pirouette et je me penche pour embrasser le miroir. Ensuite, j'enfile mes baskets fluo, je récupère mon portable et mes écouteurs et je descends au rez-de-chaussée. La voix mélodieuse de Hope envahit le couloir.

— … mais *grave* ! Sérieux. Il m'a envoyé cent roses jaunes et cinquante ballons en forme de cœur, et tout ça sans laisser de nom ! Il doit être mais trop dingue de moi. En mode coup de foudre, quoi.

Curieuse, je m'arrête à la porte de la pièce ciné. Elle est entrouverte, alors je constate qu'un film est projeté pour deux nuques côte à côte sur le canap'.

— Encore un qui doit être bien perché, se marre Ben en donnant un petit coup de coude à ma sœur. Tu n'as même pas encore passé trois heures dans cette école. Et je suis quasi sûr que pour parler d'amour, il vaut mieux se présenter en personne, tu vois, face à face. Qui lui a filé ton adresse, au fait ? En plus, tes fleurs préférées c'est les coquelicots, donc mauvaise pioche.

— Pffff. Qu'est-ce que t'en sais, toi ?

— J'en sais plus que ce charlot.

— Ce charlot ? Ça se dit encore, ça ? Quel âge t'as, cent ans ?

— Mouais. Bon. Bref, il s'est gouré sur toute la ligne. Des roses jaunes. Trop naze.

Petit silence, puis Hope se tourne sèchement vers lui.

— Ben, tu es jaloux ?

— Hmm, non.

— Mais si ! T'es grave jaloux de mon admirateur secret ! Et si tu es jaloux, ça veut dire... (J'entends presque le cerveau de ma cadette qui turbine.) Ça veut dire que je te plais. Je te plais, c'est ça, Benjamino ? Je te plais de ouf, hein ? Tu craques sur moi ? Oh grave que tu craques de la mort sur moi !

La nuque de Ben est cramoisie.

Pas trop tôt, Hope. Tu y auras mis le temps.

Je m'éclipse en souriant.

J'ouvre la porte d'entrée le plus discrètement possible, cale mes écouteurs dans mes oreilles, et me plante sur le perron. Personne dans les parages. Ni limousine qui attend, ni paparazzis, ni ex-copains, ni Genevieve, ni discours à prononcer. Juste un univers d'air frais et de chances à saisir.

Je sors mon tél et supprime tous mes comptes sur les réseaux sociaux.

Bye, Faith Valentine.

Puis je mets la musique à fond, je m'étire, j'oriente mon visage vers le soleil et j'inspire.

J'expire.

J'inspire, pour attirer la chance et aussi pour rester en vie.

Mon téléphone tinte.

Yo yo ! Mortelles les répètes. Si tu as du tps libre, ça te dit de venir ? Et aussi, tu connais qqn pour garder mon appart' ? Surveiller mes fiestas qd suis pas là S xxx

Sourire aux lèvres, je réponds :

Oui et oui. Je crois penser à qqn xx

J'éclate de rire : je me sens un tout petit peu bébête. Ensuite je m'accroupis sur le perron et lève les mains au-dessus de ma tête.

Fais un cercle.

Et je n'aperçois Mercy nulle part dans le jardin, en train de tabasser un arbre. De lui faire pleurer sa race en beuglant. Parce que, vous savez quoi ? Ça, c'est à elle de le raconter.

Je lève la tête vers le ciel et envoie un baiser à mes sœurs. Puis je me dresse sur le rebord d'un monde lumineux et ouvert qui m'attend.

Et je cours.

REMERCIEMENTS

Ce livre est mon dixième.

Je n'en reviens pas qu'on m'ait permis d'écrire autant d'histoires ; et encore moins qu'on m'ait encouragée, motivée et soutenue. Mon agent, Kate Shaw, m'accompagne depuis dix ans (encore un anniv' !). Sans sa vision et sa ténacité, je serais encore une mauvaise serveuse. Je lui en suis plus que reconnaissante – comme tous les clients que je n'ai pas servis depuis dix ans. Mon éditrice de génie Lizzie Cliffort est elle aussi avec moi depuis le début : depuis les petits biscuits GEEK en forme de dinosaures qu'elle m'avait préparés pour notre premier entretien, en passant par toutes les idées et suggestions qu'elle a pu me soumettre. Je leur dois tout à toutes les deux, et ces quelques mots ne sont qu'une gouttelette dans une gigantesque bassine d'amour et de remerciements.

Sans une équipe talentueuse, passionnée et travailleuse, un livre ne sort jamais du cerveau d'un auteur (ou d'une boîte fourrée sous son lit). J'ai eu une chance folle d'être acceptée par HarperCollins. Ann-Janine Murtagh, Rachel Denwood, Nick Lake, Samantha

Stewart, Michelle Misra, Yasmin Morrissey, Jess Dean, Lowri Ribbons, Jane Tait, Mary O'Riordan, Elorine Grant, David McDougall, Elisa Offord, Beth Maher, Alex Cowan, Geraldine Stroud, Jo-Anna Parkinson, Louise Sheridan, Sam White, Robert Smith, Carla Alonzi, Sarah Mitchell, Aisling Smith : travailler avec vous est une joie et un honneur. Jessie Ford, merci pour cette nouvelle couverture – une beauté.

Au bout de dix livres, je crains que mes proches ne frissonnent plus de lire leurs noms dans les Remerciements. Il n'empêche : Maman, Papa, Tara, Autumn, Grand-père, tout ça, c'est grâce à vous et pour vous. Quant au reste de mon énorme famille (Caro, Louise, Adrien, Vincent, Vero, Charlie, Simon, Ellen, Freya, Robin, Lorraine, Romayne, Dixie, Grand-mère, Judith), merci de m'aimer autant et de me lire.

Merci surtout à ma grande amie Emma Jane Unsworth, qui m'a offert un rôle dans son formidable film *Animals* et m'a ainsi permis de découvrir par moi-même l'univers des plateaux de cinéma (et je confirme, comme Faith, j'ai zéro talent d'actrice). Merci aussi à Maya, Alice, Ben, Steve, Steven, Lucy, Nina et Helen pour m'avoir empêchée de perdre la boule et le moral cette année. Quitte à me laisser souvent déshydratée ! C'était d'autant plus rigolo.

Enfin, merci à vous, mes lecteurs. Sans vous, ces histoires n'existeraient pas – je ne ferais que parler toute seule (ce pour quoi on me paie, finalement). Les gentils mots que vous m'écrivez, le soutien que vous m'apportez, votre affection et votre loyauté font de ce métier le plus beau métier du monde.

Alors continuez à lire, et je vous promets que je continuerai à écrire.

Et on s'en remet dix.

Ouvrage composé par
PCA, 44400 Rezé

Imprimé en France par
CPI Brodard & Taupin
en janvier 2021
N° d'impression : 3041283
S29817/01

MIXTE
Papier issu de
sources responsables
FSC® C003309

Pocket Jeunesse, une marque d'Univers Poche,
est un éditeur qui s'engage pour
la préservation de l'environnement
et qui utilise du papier fabriqué à partir
de bois provenant de forêts gérées
de manière responsable.

PKJ • POCKET JEUNESSE
www.pocketjeunesse.fr

92, avenue de France - 75013 PARIS